講談社文庫

日暮らし(下)

宮部みゆき

講談社

日暮らし(下)◆目次

日暮らし(上)◈目次

日暮らし(中)◈目次

題字・扉絵　村上　豊

日暮らし

(下)

日暮らし（承前）

ひとつにちゅうこう
ふたつにきんべん
みっつにしんたい
けんこう
よくまなび
よくはたらき
ひとには
しんせつ
ものを
だいじに

十

朝から雨降りである。雨粒は目に見えず、湿気と冷気がしんしんと立ち込める。秋の霧雨《きりさめ》である。

つい先ほどまでは、手拭いで頬かむりをし、庭先でこまこまと立ち働いていた小平《こへい》次《じ》だが、今はその姿が見えず、声ばかりが盛んに聞こえてくる。塀の外で、組屋敷の中間仲間《ちゅうげん》と立ち話をしているらしい。もっとも、しゃべっているのは相方《あいかた》で、小平次はもっぱら相槌《あいづち》ばかり打っているので、「うへえ、うへえ」の繰り返しだ。

平四郎《へいしろう》は縁先に寝転がって庭を見ている。

腰のあたりに不穏な痛みを覚えたのは、芋洗坂《いもあらいざか》から帰った、昨夜遅くのことである。やたらに動き回ると、例によって例の如くぎっ、、、くりときそうな気がした。ここは大事をとって休ませてもらおうと、夜が明けるとすぐ小平次を走らせ、相役《あいやく》の同心に断りを入れた。

で、大手を振ってぐうたらしているわけなのである。

横になるとどうしても眠くなる。頭のなかにも霧雨が降っているかのような、いい塩梅《あんばい》の曇り具合である。ただそれでも、昨夜の湊屋総右衛門《みなとやそうえもん》とのやりとりが、ときど

き切れ切れに浮かんでくる。

葵《あおい》に恨みを抱き、殺《あや》めてやろうと企む者がいるとは思えない。総右衛門は何度もそう言った。はっきりと言い切った。おふじと、佐吉《さきち》を除いては。

そしておふじは、もうそんなことなどできるはずのないところに渡ってしまっている。

一方、佐吉は神かけて無実だという。平四郎もそれを信じる。

では下手人は誰なのだ——

「あなた」

唐紙《からかみ》をからりと開けて、細君が顔を出した。

「そんなふうに横になっていては、かえって腰が冷えます。床を延べますから、きちんと休んではいかがですか」

平四郎はちょっと返事ができなかった。今の「あなた」という呼びかけに、おふじの姿を思い出してしまったからだ。

「このまんまでいいよ」

肘枕《ひじまくら》をしたまま、平四郎は言った。細君は足袋《たび》を鳴らして座敷を横切ってくると、傍《かたわ》らにぺたりと座った。平四郎の背中から腰にかけてざっと手で撫でると、

「かちんこちんに張っておりますわ」と言う。「やはり幸庵《こうあん》先生に診ていただきまし

よう。早いうちに手を打てば、軽くて済みます」

幸庵先生は高橋《たかばし》の町医者で、先にも平四郎のぎっくり腰を治してくれたことがある。今朝も、細君がすぐ先生に知らせようとしたのを、平四郎が止めたのだった。痛みがあるのは嘘ではないが、半分は怠け病だと心得ているからである。幸庵先生はなかなかの名医であり、人情家なので慕《した》う患者が多い。忙しい身体だ。

「このくらいなら、寝てりゃ治る」

「ではせめて膏薬《こうやく》だけでも。わたくしが帰りに寄って、処方していただいてきましょう」

細君は三日に一度、日本橋小網町《こあみちょう》にある桜明塾《おうめいじゅく》というところで子供たちに手習いを教えている。内職だ。今日もこれから出かけるので、その帰りに高橋に立ち寄ると言っているのである。

「手っ取り早く処方してもらえりゃいいがな」

「先生はあなたのぎっくり腰癖をよくご存知ですもの。いただけますよ」

三日に一度という半端《はんぱ》な働き方であるのは、この桜明塾がなかなか人気のある手習い所で、生徒が大勢おり、いちどきには教えきれないので、日を分けているからだ。平四郎の細君が教えに行くのは、女の子ばかりが通ってくる日なのである。

手習い所では読み書き算盤《そろばん》が基本だが、女の子にはひととおりの行儀作法も教え

る。聞くところによると、細君はなかなか厳しい師範であるらしい。どんな顔をして「先生」と呼ばれているのか、ちょっとのぞいてみたい気がする。だが迂闊《うかつ》に平四郎が顔を出すと、怖い先生のご亭主がこんな馬面のだらしない男だと露見して、にわかに生徒の尊敬を失ってしまう恐れがあるので、ずっと遠慮しているのであった。

——そういえば。

芋洗坂の屋敷のそばにも、法春院《ほうしゅんいん》という寺の境内《けいだい》を借りている手習い所があった。女中のお六《ろく》の娘たちが通っており、昨日も、平四郎がいないあいだに、そこの晴香《はるか》という女先生が通りがかりに挨拶をしていったと聞いた。

湊屋の側から何の手がかりも得られないと分かった以上、生前の葵の暮らしぶりを知っている人びとに、詳しく話を聞いてみる必要がある。自身番の連中やお六はもちろんだが、親しく出入りしていたという八百屋の親父や、湊屋の遣いの小僧、晴香先生にもきちんと会ってみなくてはならない。そうそう、お六は、平四郎の頼んでおいた書き物を、すっかり書いてくれたろうか。

何か、些細《ささい》なことでも発見があるかもしれない。あってほしい。

「今日は一日こんな雨でございましょうかしらね」

煙る霧雨を見やり、平四郎の背中と腰を擦《さす》りながら、細君が呟《つぶや》いた。

「霧雨はなぜかしら悲しいものですね。空も淋しい色をしています」

小娘のような可愛いことを言う。平四郎はふと思いついて、思いついたことを吟味《ぎんみ》しないまま口に出した。

「こんな雨を見ていると、ふっとさ、何の理由もないのに、妙に泣きたくなったりするもんかい？」

細君の手が止まった。平四郎をのぞきこむ。

「あらまあ、どういうお尋ねでしょう」

「おまえさんが嫁入り前のおぼこ娘のようなことを言うからさ」

細君はころころと笑った。「どんな女でも、どんな大年増《おおどしま》になっても、どこかに、おぼこ娘の部分を残しているものですわ。女はそういうものなのです」

「そうかねえ」

「殿方が、どんなに枯れたお年寄りになっても、どこかに助平を残しているのと同じことでございますよ」

平四郎は指で鼻の頭を掻いた。「悋気《りんき》はどうだい」

「悋気？」

「どんな大年増になっても、悋気はあるもんかな。いや、悋気というのは、大年増になっても続くもんかな」

細君は小首をかしげ、少し考えているようである。そのあいだに、また平四郎の背

中を擦り始めた。

「悋気の質《たち》によりますでしょうね」と、ゆっくり噛むように返事を寄越した。

「ふうん」

「悋気は収まっても、忘れることはできぬということはありましょう。忘れても、悋気だけは消えぬということもありますでしょう」

「難しいな」

平四郎は、藤屋敷に独りで隠れ住む、心の壊れたおふじの横顔を想起しようと試みる。しんしんと降る雨のなかに、それはなかなか像を結ばなかった。

難しい――と繰り返して、細君は小さくため息をつく。

「そうでございますわね。幸い、わたくしは悋気に燃えねばならない目に遭ったことがございませんから、よくわかりません」

そうして、河合屋《かわいや》の姉に聞けば、いろいろ教えてもらえるかもしれませんと言い足した。

「河合屋の主人はお盛んだそうだからな」

弓之助《ゆみのすけ》の父親である。鬼瓦《おにがわら》のような顔をした御仁《ごじん》だが、女遊びはかなり激しいらしい。しかし商いは上手だし、外面はいたって真面目な男なので、弓之助が親しく家に出入りするようになるまで、平四郎は、己の相婿《あいむこ》が実はそんな男だということを、ま

るで知らなかった。

「姉さんは、悋気で焦げそうになったことがあると言ってるかい？」

「腹は立てておりますわ。いちいち几帳面《きちようめん》に」と、細君は笑った。「でも、だからどうだということは一度もないようです。姉の場合は、女房としての悋気ももちろんですが、河合屋の体面を考えて怒っていることもあるのではないかと思います。むしろ、そちらの方が大きいかもしれませんわね」

そして、いきなり平手で平四郎の腰をぴしゃりとぶった。

「あなた、わたくしにそんな謎かけをしなくてはならぬようなことをなすってますの？」

ぎ、ぎ、ぎっくりと、きた。平四郎は白目を剝《む》いた。

「あら大変！　小平次、小平次！」

大騒ぎをしているところに、ごめんくださいと声がした。弓之助がやって来たのだった。

「叔父上のこういうお姿を見るのは、久しぶりのことでございますね」

からかっているのか同情しているのか、にわかに判別しにくいことを弓之助は言う。煎餅《せんべい》布団の上に鉤形《かぎがた》になって転がって、横睨《にら》みに見上げる甥《おい》っ子の顔は、いつも

のように凄いような美形だ。整った顔は、そのまま仮面だと、平四郎は思った。こいつめ、本当は面白がっていやがるんじゃねえか。

「おいたわしい」

「だったら笑うな」

「笑ってなどおりませんよ」

と言いつつ目をぱちぱちさせている。吹き出しそうになるのをこらえているに違いない。

細君は大慌てで桜明塾へ出かけた。小平次は結局、高橋へ膏薬《こうやく》をもらいに走っている。弓之助は勝手知ったる叔父上の家というわけで、まめまめしく平四郎の世話を焼き、枕辺《まくらべ》に座っている。

「いずれにしろ、今日はこちらで久兵衛《きゅうべえ》さんに会うことになっていたのですから、よかったではありませんか。午《ひる》過ぎのお約束でございましたよね？」

だから弓之助は平四郎の家に来たのである。

昨夜の会見では、葵に恨みを抱く者の心当たりの他にも、大事なことを尋ねた。葵が孫八《まごはち》をやっつけたあの大手管《おおてくだ》に、湊屋がどれぐらい関わったのかということ。その後の孫八はどうしているのかということだ。

幻術使いの一座を雇うには、かなりの金がかかったはずだ。それを問うと、総右衛

門はあっさりと認めた。

「とはいえ、私はもともとあの一座の後見をしておりますので、あの日の仕掛けのために大枚を投じたということではございません。葵から委細を聞きまして、すぐ彼らを呼んで段取りをつけましたが、とりわけ大仕事だったわけでもございませんな。井筒《づつ》様が一座の者にお会いになりたいのでしたら、いつでも手配をいたします。お申し付けください」

小屋掛けの興行は一切せず、大名家や大商人の顧客つまり旦那を持ち、その宴席に出張《でば》っては大掛かりな芸を見せる——というのが彼らのやり方であるそうだ。それならば、芋洗坂での趣向など、最初から一座の得意とするところだったのだろう。

「幻術にあてられて、度を失った孫八はどうなった？　そっちもあんた方が後片付けをしたんだろうが」

総右衛門に促されて、これには久兵衛が答えた。「あの日、芋洗坂のお屋敷から逃げ出した孫八は、なにしろ尋常ではない様子でございましたし、静かな早朝のことでもございますから、たちまち番屋の目にとまり、捕らえられました。手前はすぐ赴《おもむ》きまして、これは我が家の奉公人であるということで、孫八の身柄を申し受け、こっそり待たせてあった湊屋からの遣いの者に、孫八を連れ帰ってもらいました。それからずっと、あれは手前どもの目の届くところにおります」

お六の懸念と疑惑に、久兵衛が、葵の一件には孫八はまったく関わりないと言い切ることができたのも、それなら当然である。

「で、孫八は今どこにいるんだ？」

「湊屋の、川崎の別邸で下男として住み込んでおります。幻術に目くらましをされて、様子がおかしくなってしまったのはそのままですが、静かな暮らしをさせておりますので、もう度を失って暴れるようなことはございません」

つまり孫八は、久兵衛の下で働いているのだ。だからこちらも、会おうと思えばすぐに会える、あいにく、川崎から連れて来ることは難しいので、井筒様に足を運んでいただくことになりますが――という。

「お六にもそう言ってやりゃよかったのに」

「それはいけません。お六はきっと孫八に同情してしまうでしょう。後ろめたく思うこともあるでしょう。あれにはそういうお人よしのところがあります。ですから葵様は、お六にはけっして知らせないようにと、固く禁じておられたのです」

その判断は――まあ正しかろうと平四郎も思う。ひょっとするとお六は、やわになってしまった孫八と一緒に働き、面倒をみたいなどと言い出したかもしれない。恨みや怒りはすぐに忘れ、自分のいたらないところにばかり頭が回ってしまう、バカがつくほど善良だ。

そうした疑問に答えを得てしまうと、せっかく仰々《ぎょうぎょう》しい大掃除と下準備をしたにもかかわらず、もう尋ねることが尽きてしまった。気合いの入らないやりとりをいくつか交わし、湊屋は、もう佐吉には一切かかわらない、藤屋敷にも出入りさせない、彼とお恵《けい》のことはそっとしておくという約束を取り付けると、会見は終わりになった。

ところが、帰りがけになって久兵衛が、まるで子供の内緒話のようにくしゃくしゃと声を丸めて、平四郎にそっと囁《ささや》いたのだ。

「畏《おそ》れながら、手前から井筒様にお話ししたいことがございます。明日にでもお伺いしてよろしゅうございましょうか」

驚き怪しみながらも、いいよと平四郎は返事をした。場所はどうする。組屋敷にお邪魔いたします。あんた、市中《しちゅう》をふらふら歩いていいのか。元の鉄瓶長屋《てつびんながや》の店子《たなこ》たちに、ばったり会ったら気まずいだろう。重々気をつけて参ります――

「久兵衛さんは何をおっしゃりたいのでしょうね」弓之助も不思議がっている。「いずれ大事なご主人の湊屋さんのいない場所で、こっそり叔父上に打ち明けたい事柄なのでしょうけれど、わたくしには見当もつきません」

「ま、聞いてみりゃわかる」

平四郎は単純である。

「それよりおまえ」と、固まった格好のまま弓之助に問いかけた。「昨日、様子がおかしかったな」

「わたくしですか？」弓之助は人差し指で自分の鼻の頭を押す。

「法春院の、晴香という先生が通りかかって挨拶していったというくだりでさ、晴香先生の着物から佳《い》い匂いがしたって、考え込んでるようだったじゃねえか」

ああ、それですかと弓之助は膝を打った。

「佐吉さんが葵さんの亡骸《なきがら》に駆け寄ったとき、やはり、佳《い》い匂いがしたとおっしゃっていましたね。覚えておいでですか」

確かにそんなことを言っていた。

「ひょっとして、それも女の人の着物の匂いだったかもしれないな、と思ったのです」

平四郎は驚いた。

「じゃあ下手人は女だってことか」

「そこまで一足飛びに行くかどうかはわかりませんが、葵さんの座敷に、誰か女の人がいたということはあり得ます」

平四郎は横向きのまま鼻から息を吐いた。

「衣桁《いこう》にかけてあった、葵の新しい着物の匂いだったんじゃねえか？」

「叔父上、仕立てあがったばかりの着物は匂いませんよ。しばらくのあいだ匂い袋と一緒にしまうとか、匂い袋を袖や襟元に忍ばせるとか、あるいは香を焚《た》き染《し》めるなどしなくては。それに、もしも例の桔梗《ききょう》柄の着物から匂っていたというのならば、佐吉さんにだってそれとわかりそうなものです」

「葵の着ていた着物の匂いってことは」

「その場合だって、佐吉さんにはわかるはずです」と言ってから、弓之助は急にもじもじし始めた。

「なんだ、小便か」

「違います。いえ、そうです」

混乱している。

「つまり小便です。はい、そうです」

「おまえ、大丈夫かい？」

弓之助は顔を赤くしている。「びろうなお話です。申し上げにくいのです。でも申し上げます。叔父上、首を絞められて死ぬと、人はたいてい——その、あの、下《しも》の方が緩《ゆる》むと申しますか」

平四郎は察した。人は縊《くび》り殺されたり縊れて死んだりすると、たいてい失禁する。

「うん、そうだ。よく知ってるな」

「おでこさんと一緒に、昔の出来事について聞き歩いていると、そういうお話にも出くわすのです」

なるほど。耳学問だ。

「葵さんもそうだったと思うのです。きっとその、あの座敷も」

臭ったはずである。失禁が。

「でも佐吉さんは、佳い匂いがしたということの方を覚えていた。そちらの方に先に気をとられたわけでございますよ。となると、その佳い匂いというのは、かなり強い匂いだったのではございますまいか」

平四郎はうなずいた。確かに、小便の臭いというのは強烈だ。それを打ち消すほどの佳い匂いとなると——

「だからわたくし、着物と匂い袋のことを思いついて、でも自分で自分に首をひねってしまったのです。匂い袋から漂う香りは、そんなに強いものではございません。袋が破けて中身が散ったりしない限りは、たいそうほのかなものでございましょ？　じゃあ、佐吉さんの感じた佳い匂いの正体は、いったい何だろうと考え込んでしまったのでした」

平四郎はしげしげと弓之助の顔を見て、笑った。「おめえ、だてにおねしょで経験積んでねえな」

「またそんなことを」

弓之助は真っ赤になってふくれた。「わたくしは真面目に思案しているのです。もう一度佐吉さんから、どういう感じの佳い匂いだったのか、よくよく伺ってみる必要があると思います。大島《おおじま》へお邪魔してもよろしいですよね？」

「うん、任せた」

佳い匂いの正体を見極めることが、葵を殺めた下手人《げしゅにん》につながるかどうかはわからないが、弓之助のおつむりの働きというのは特別なので、好きなようにやらせておいても無駄は出ない。平四郎はそれをよく知っている。

「先《せん》にも申し上げましたが、叔父上」

と、弓之助は膝を揃えて真顔に戻る。

「わたくしは、葵さんの一件が、とてもさっぱりとしていることがやはり気になるのです。あるいはこの殺しは、とんでもない掛け違いとか、はずみで起こったことなのではないかと思えてなりません。今はまだ上手《うま》く言えないのですが……」

目を伏せて、少し考える。

「下手人には、葵さんの側から順々に積み上げて行ったのではわからない事情、というものがあったのではないかと思えます」

平四郎は黙って聞いていた。弓之助は何度か頭をうなずかせ、ええ、やっぱり上手

く申し上げられなくて歯がゆいですと、小声で呟いた。

「もう少し考えてみます」

平四郎に異論はない。ただ、そんなことばかり考えなさんなと言ってやりたいのを、少し苦労して呑み込んだ。

「しかし、小平次は遅いな」

「ちょっと様子を見て参りましょう」

立ち上がって、ああそういえばと弓之助は振り返る。

「あいすみません、忘れていたのですが、お徳《とく》さんに頼まれたことがあるのです」

「お徳に？　何だ？　仕出し屋は上手くいきそうなんだろ」

佐伯錠之介《さえきじょうのすけ》をご満悦にさせたことで、お徳もお徳を助ける彦一《ひこいち》も、大いに自信を持ったようだ。つい先日、お客がついたという話を聞いて、平四郎も喜んでいたところだった。

「商いの方は順風満帆《じゅんぷうまんぱん》なのです。でもお徳さん、それだからこそおみねさんのことが気になるようで」

おみねというのは、お徳が引き継いだお菜屋《かずや》のおかみである。雇い人と店を置き去りに、出奔《しゅっぽん》して行方が知れない。

「いい歳の大人が、自分の好き勝手で、しかも有り金持って出てるんだ、案じてやる

ともないと思うがね」

「それはお徳さんの理屈じゃないのですよ。叔父上だってご存知でしょう。お徳さんは、このままだと、ご自分がおみねさんのお店を乗っ取ったみたいになることを気に病んでいるのです」

で、何としてもおみねを探し出したいというのである。

「俺には何も言っちゃいなかったぞ」

「お徳さんだって、叔父上に言えば、そんな必要はない、気にするなと言われるとわかっておられるのですよ」

平四郎は目を細めた。おみねという女の顔、話し声、あのぎらりと光る目を思い出してみようとする。おふじとは違う女。だがそれでいて、どこか似たような女。そのせいだろうか、頭のなかでおふじとおみねがごっちゃ混ぜになってきた。

「政五郎さんに、こういう人探しを頼んでみてもいいだろうかって、引き受けてくれるかどうか聞いてみておくれでないかって、わたくし、頼まれました」

「政五郎は面倒がったりしねえと思うよ。でもおめえ、それを俺にしゃべっちまっていいのか？」

「わたくしは叔父上に隠し事などできませんもの。それに政五郎さんが動き出せば、いずれは叔父上にも知れることですし」

おみねの出奔の裏にあるどろどろした事情を、お徳は知らない。平四郎と政五郎は知っている。弓之助は、その一端にかかわっているのだが、自分がかかわっていることを知らない。できればそのままにしておきたかった。

平四郎は探りを入れた。「おさんとおもんだっけな、おみねが残していった奉公人。あいつらは、おみねの昔のことを知っているのかな？」

「ほとんど知らないようですよ。なおさら、お徳さんはもやもやするのです」

叔父上ももやもやしたお顔をなさってますねと、弓之助は付け足した。「何かあるのでございますか？」

「何もねえよ」と、平四郎は嘘をついた。

「ま、いいや。政五郎に頼んでみな。お徳の気持ちもわからないじゃねえからな。言い出したらきかない女だし」

お徳が店を引き受けた以上、これまでとは事情も違ってしまった。仕方がない。

はいと返事して、弓之助はほっとしたように頬を緩めた。そちらの方もお手伝いして、わたくしも、人探しのいろはを習おうかしらなどと言っている。

この雨は久兵衛に味方した。大きな傘と、忍び入る湿気を防ぐため頭に巻いた手拭い。もしも知り人の誰かとすれ違っても、にわかに彼とはわからなかったろう。

小平次が戻り、平四郎の腰と背中に膏薬を貼っているところに、久兵衛は訪ねてきた。弓之助は飛んで隠れた。もちろん、聞き書きの用意はしっかりと整えてある。律儀者らしく、久兵衛は菓子折などいろいろ持参してきたようで、小平次は礼を述べては受け取り、ひとしきり戸口で時を費やしてから、久兵衛を案内してきた。

鉤形になって寝ていることを、まず平四郎は謝った。久兵衛は驚いたようだが、すぐ世話好きそうな顔になり、腰痛を防ぐには、下駄の前の歯を少し低くしたのを履いて歩き回るといいとか、品川宿《じゅく》に腕のいい鍼師《はりし》がいるとか、幸庵先生もよろしいが、千住《せんじゅ》の名倉《なぐら》医院《いいん》は評判どおりの名医だから、ぜひとも一度訪ねてみるべきだとか、大いに語った。

久兵衛が鉄瓶長屋の口うるさい差《さ》配人《はいにん》だったころを思い出し、平四郎は楽しんだ。会うたびに老けてゆく久兵衛だが、こうしていると昔のままだ。いや昔といったって、たかだか二年ばかり前のことだというのに、鉄瓶長屋のあったころが、もう遠い時の向こうのように感じられるのが淋しい。

小平次が茶を運んできて、久兵衛のお持たせの菓子を並べ、どれもこれも美味しそうだと褒《ほ》め上げてから引き上げた。彼が消えると、平四郎も久兵衛も黙り込んだ。

しとしとと雨が降り続く。

しわがれた咳をひとつ落とすと、久兵衛は顔を上げた。

「湊屋の旦那様は、手前はもう川崎に帰っているころだと思っておられます」

実際、久兵衛はここを出たらその足で川崎に帰るつもりなのだろう。手荷物を携《たずさ》えている。足袋も紺地の厚いのを履いている。

へえと言って、平四郎は少し笑った。

「あんたが湊屋に嘘をついたのは、これで何度目かね」

「さあ……」久兵衛は真顔で考える。「二度や三度のことではございませんな」

「そういう必要があれば、主人に嘘をつくのも奉公人の働きのうち、か」

「おっしゃるとおりでございます」

干し柿のような久兵衛の頰にも笑みが刻まれる。

「井筒様のお加減の悪いところに押しかけているのですし、無駄話はいけません。それはよう承知しておりますが、少々辛いことを申し上げるために、手前はまかりこしました」

こういう話の切り出しに、ふさわしい合いの手を入れるのは難しい。何でも「うへえ」で済ませる小平次は、存外賢いのかもしれないと平四郎は思う。

「手前がさかしらに、井筒様のお心の内を推し量ることをお許しくださいませ」と、久兵衛は頭を下げた。「それでも手前は、昨夜《ゆうべ》の会合で――いえそれよりもずっと以前から、井筒様が、手前の主人、湊屋総右衛門のお内儀《かみ》さんに対する仕打ちに、いた

くご立腹になっていると察しておりました」

総右衛門がおふじに冷たい、情がない、ということだ。

「俺がそう思ってるとおまえさんが感じるのは、おまえさん自身がそう感じているからだと、俺は思うよ。ややっこしいがな」

久兵衛はつと視線を下げた。

「旦那様とおふじ様のあいだには——ある事情がございます」

「ふうん」

弓之助はちゃんと聞いているだろうか。

「旦那様はそれを口にはなさいません。もう三十年近くも昔に、それは箱に詰められて封をされ、旦那様の心の蔵の奥の奥にしまいこまれまして、それきりでございます」

「それはつまり、総右衛門がおふじと添ったころの出来事って意味かい？」

はい、と深くうなずき、左右の手で左右それぞれの膝頭を軽く包み込むようにすると、久兵衛は痩せた肩をわずかに強張《こわば》らせた。

「湊屋のご長男、跡取りの宗一郎《そういちろう》様は、旦那様のお子ではございません」

世間にはよくある筋書きでも、身近に引きつけて考えてみたことはない。そんな事柄はいくらもある。今度もそれだった。

驚くというよりは、虚を突かれたと言った方が正しい。だから平四郎はうんともすんとも応じようがなく、表情を変えなかった。

「旦那様とおふじ様の縁組は、旦那様の商人としての先行きを見込んだおふじ様のお父上がまとめた話でございました」

「それは、俺も聞いて知ってる」

「どこから見ても隙のない、お目出度いことばかりの縁組で——」久兵衛はちょっと詰まる。「ただ、その当時、おふじ様には他所《よそ》に想い人がいらしたようでして」

宗一郎はその男の胤《たね》だということか。

「それじゃおふじは総右衛門の嫁になってからも、その男と?」

「はい。ひそかに通じておられたのでしょう。もっとも、宗一郎様が生まれて間もなく、男は病を得て死んだそうです」

あなた。おふじの総右衛門に呼びかける声が、出し抜けに平四郎の脳裏をよぎった。

おふじは不義をはたらいていた——

「井筒様、実は込み入った詳しい事情については、手前も存じないのでございます。何より、手前がこのことを知っているということを、旦那様はご存知ありません」

当時、このこじれた事情を呑み込んでいたのは総右衛門とおふじ、おふじの想う

男、そしておふじの両親だけであったようだという。

「じゃ、あんたは誰から聞いたんだね？」

「ご本人の宗一郎様でございます。それもごく最近のこと——この二月から、手前が病みついた宗次郎《そうじろう》様のお世話をするようになって、さあ半月ばかり経ったころでございましたでしょうか」

宗次郎の具合はどうかと、宗一郎が供も連れずに、ひょっこりと川崎の別邸を訪ねてきたのだという。

「そうそう……道中で見かけてあまりにきれいだったから手折《たお》ってきたと、桃の枝をお持ちになりました」

弟の見舞いに桃の花か。優しいじゃねえか。

「いい兄貴なんだな」

久兵衛は自分が褒められたかのように顔をほころばせた。

「宗一郎様は、穏やかで暖かな、陽だまりのようなお人柄の方でございます」

湊屋の二人の息子たちは、親父には似ない凡庸《ぼんよう》な出来で、だからこそ総右衛門は姪の葵の子供である佐吉を可愛がった——一時は、まるで佐吉が跡取りであるような扱いを受けていたという話を、平四郎は思い出した。

「以前にも申し上げましたが、宗次郎様の病は一種のぶらぶら病《やまい》、寝込んでいて枕も

あがらないというご様子ではありません。その日も、宗一郎様がおいでになったので、久しぶりにゆっくり飲もうということになり、手前が支度をいたしました。ご兄弟はお仲がよろしいのですよ。楽しい酒席になりました」

宗次郎が飲み食いに疲れて先に寝てしまい、後には久兵衛と宗一郎が残った。

「鉄瓶長屋の差配人になる前も、手前は『勝元《かつげん》』にいることが多《おお》ございましたし、宗一郎様はそちらの切り盛りにはかかわっておられませんでしたので、それまで親しくお話をしたことはございません。ですが、その日の宗一郎様は、おそばにいることの少なかった手前の目から見まして、何かしら沈んでおられるといいますか、屈託を隠しておられるようにお見受けしました」

彼が一人で訪ねてきたことにも、どうも引っかかるものを感じたという。

「ただ、宗次郎様とにぎやかに飲んでおられるときには、いつに変わらぬ明るいお声とお顔でしたので、手前の心得違いかとも思いました。それが、手前と二人になりますとご様子が変わってまいりまして……。しばらくお酒のお相手を務めているうちに、お話が、始まりました」

久兵衛が目をしばたたく。瞳は乾いている。まぶたも乾いている。雨ばかりが濡れ濡れと庭に降り注ぐ。

——おまえは何も知らないか。親父から聞いてはいないかな。

宗一郎は、そう切り出したそうである。

「何のお話ですかと問い返しますと、いや宗次郎の病の様子さ、とはぐらかされます。あれは本当に気の病か、真に重篤《じゅうとく》な病が隠れていることはないのかと、くどくどお尋ねで」

その心配はないと、久兵衛は説明した。お医者の診立《みた》てもそのとおりであるし、宗次郎自身も、どこが痛い痒《かゆ》いわけではない、熱もない、ただ気力が失せてしまって、商いのことなど込み入った事柄を考えようとしても、気が散ってしまって身が入らないだけだと話している——

すると宗一郎は、さらにおかしなことを言って久兵衛を驚かせた。

——宗次郎は親父の後を継ぐ身なのだから、しっかりしてもらわなくては困る。

嫡男《ちゃくなん》は宗一郎である。跡取りは彼だ。湊屋に奉職する誰も、それについて疑いを持ったことなど一度もない。現に宗一郎は、総右衛門の下についてずっと商いを習っており、お店でも「若旦那」と仰がれて、大事な得意先をいくつも任されている。

「手前は笑い出してしまいました。そんなことを言って手前を担ぐなら、ここにおわす宗一郎様は本物ではなく、狸《たぬき》の化けた偽者ではないかということを申しました。盛りの桃の花を肴《さかな》に酒を飲みたくて、山の狸が里へ浮かれ出たのかと」

宗一郎は一緒になって笑った。

——そうか、久兵衛は知らないのだね。おまえは親父の懐刀《ふところがたな》だから、聞かされているかとばかり思っていたよ。

そして、厳しい目をしてこう言ったのだ。

——なるほど、私は狸かもしれないよ。だって私は親父の胤《たね》ではないのに、今日《こんにち》これまで、湊屋の倅《せがれ》として周囲をたばかり暮らしてきたのだからね。

久兵衛はいったん言葉を切った。口から出てくる言葉の苦さを流そうと、茶を飲んで目をつぶる。

平四郎は、同じ姿勢で寝転んでいることが、そろそろ辛くなってきた。この雰囲気にも押しつぶされそうだ。

「久兵衛」

「はい？」

「俺を転がしちゃくれねえか。ころっとこう、反対側に。で、おまえさんもこっちに座り直してくれ。そっと頼むよ」

身体の向きを変えるだけでもひと騒ぎだ。おお痛てぇ、という声が二度ほど飛び出したが、小平次は寄ってこなかったし、弓之助も潜んだままであった。

「これでよろしゅうございますか？」

久兵衛は息を切らしている。

「ああ、具合がよくなった。ありがとうよ」

座敷のなかの景色も変わる。日ごろは忘れているが、一人で寝返りを打てるというのは、たいへん有難いことなのだ。

「ついでに菓子をひとつつまんでくんな。乾いて固くなっちまうから、おまえさんも食べなよ」

二人は黙々と甘いものを頬張った。白い餅のなかで、小豆《あずき》の粒がひとつひとつ光っている。嚙むと甘みと一緒に香りが広がる。

「それを」と、平四郎は餅と餡《あん》を飲み込む。

「宗一郎は誰から聞いたんだろう」

久兵衛も喉をごくりとさせる。

「おふじ様から聞いたとおおせでした」

母親が息子に、おまえは不義の子だと言ったというのか。

「いつ？」

「五年前の正月だそうでございます。おふじ様の座敷に呼ばれまして」

「それは何かの節目だったのかな」

「さあ……とりわけ思い当たりませんが」

湊屋のなかで、宗一郎の働きが一人前に認められるようになってきた時期ではある

と、久兵衛は付け加えた。

「そのころ、手前は鉄瓶長屋の差配をしておりました。お元日《がんじつ》には湊屋に年始のご挨拶に伺いますが」

「それぐらいじゃ、湊屋のなかで何か変わったことが起こってたって、気づきようがねえよなぁ」

「はい、まったくそのとおりで」

その折に、おふじは宗一郎に言ったそうである。おまえが旦那様の子でないことは、おまえが生まれたときから旦那様はご存知だ。それでもおまえを跡取りに据えると、ずっとおっしゃっているけれど、こういうことばかりは先はわからない。旦那様が、やはりおまえには店を継がせぬと言い出されても仕方がないから、覚悟をしておくように、と。

そしてこのことは、おまえの胸ひとつにおさめておきなさい、と。

「なんでまたそんな酷なことを言ったかな」

平四郎にはわけがわからない。

「おまえは湊屋の倅《せがれ》じゃない、だから今日を限りに出て行けというのなら、まだわかる。あるいは、総右衛門がやっぱりおまえを跡継ぎにしないと決断したから、おまえにそれを伝えるのはわたしの仕事だ、というのでもわかる。だが、おふじのやったこ

とは、辛い事実を伝えて、それを聞かなかったようなふりをしていろということだろ？」

久兵衛はうなだれる。しわしわとたるんだ口元に、餅菓子の白い粉がうっすらとついている。

「おふじ様には、何かお考えがあったのでしょう。宗一郎様は――」

「どう解釈してた？」

「覚悟を決めろということは、つまり、ゆくゆくは、おまえは湊屋を出て行かねばならない身だよという意味だと思ったと」

そうやってこの五年を過ごしてきた。

――だから、宗次郎には身も心も達者でいてもらわねば困るのだよ。私はもうすぐ出て行くのだから。

「宗次郎はこのことを知ってるんだろうか」

久兵衛はゆるゆると首を振った。

「で、総右衛門さんは？何かしらその――宗一郎を追い出す用意をしてるとか、因果を含めるような物言いをしてるのか？」

これにも首を横に振る。

平四郎は、腰に障《さわ》らないように慎重に力を込めて、顔をしかめた。

「じゃ、跡継ぎは宗一郎。それで何も変わっちゃいねえんだろ？」

「ご本人のお気持ちが違います」

そりゃそうだ。おふじも余計なことを言ったもんである。

「ぜんたい、あんたらは我慢強いな」平四郎は半分呆れ、半分腹を立て始めていた。

「あんたも宗一郎も、佐吉もさ。総右衛門もおふじも葵も、てめえらの好き勝手なことばっかりやったり言ったりしてやがるのにさ。どうしてあんたらは、それを受け止めて我慢してやるんだ？　俺が宗一郎だったなら、五年前にそんなことを打ち明けられた時点で、家を飛び出してるな。さもなきゃ放蕩三昧《ほうとうざんまい》で、さんざん荒れてやるよ。あんたは胤《たね》違いだ、跡取りの資格はない、それをよく覚えておけなんて言われて尚、知らん顔して真面目に商いを習ってるなんざ、仏様みたいな男だな、宗一郎は！」

手前もそう思いますと言って、久兵衛は淋しそうに微笑んだ。

「井筒様に申し訳なく思いますのは、鉄瓶長屋のことから始まって、井筒様には、湊屋の悪いところばかりをお見せしなくてはならないことでございますよ。良いところもたくさんあるのです。なければ、宗一郎様も佐吉も、手前もまた、こうして旦那様についてくることなどできませせなんだ」

「みすずお嬢さんはどうだったかね？」平四郎は意地悪そうに歯を剝《む》いて問いかけた。「あの娘は、父親と母親のいざこざしていることを嫌っていたよ。兄さんたちの

ことも好いちゃいなかった」

「お小さいころは、いつもお兄さんたちの後を追いかけておられましたよ。お二人が大好きで、一緒に遊んでもらいたがって」

懐かしそうに、久兵衛は目を細める。平四郎の腹の虫はおさまらない。

「何でもいいよ」と、吐き捨てた。「で？　久兵衛さんよ、あんたはなんでこの話をしに来た？　俺が知る必要のある事柄とも思えねえがね」

久兵衛は背を伸ばして座り直した。ついでに口の端の餅の粉も手で上品に拭った。

「このような事情でございますから、あるいは近々、跡取りは誰かというお話が取り沙汰されるやもしれません。ですから、井筒様には先にお知らせしておきたかったということでございます。つまりその——あまり驚かれることがないように」

気配りというよりも取り越し苦労だ。

「それに、手前は少々言い訳をしたくなりました」

「言い訳？　あんたが？」

「旦那様のおために」

久兵衛は目を上げる。

「井筒様は、旦那様のおふじ様に対するなさりようが、あまりに冷酷で厳しいとお感じになっておられましょう。葵様と引き比べて、あまりにも不当だと」

図星である。まっとうな者なら誰だってそう思うだろう。

「だから——そうか」平四郎はうなずいた。

「総右衛門がおふじに冷たくするには、それなりに隠された理由があるんだと、あんた、それを言いたいわけか」

葵を愛し、大勢の女たちにちょっかいを出し、総右衛門がおふじを裏切ったのが先ではない。おふじの方が真っ先に、彼の胤《たね》ではない子を産んで湊屋のお内儀として居座ることで、総右衛門を裏切っていたのだと。

「なるほどな。わかったよ」

平四郎は壁を睨んで言った。この向きにいると、もう庭は見えないのだ。雨音だけがさやさやと聞こえる。

「言い訳だ。弁解だ。あんた、どこまでも総右衛門忠義の奉公人だな」

久兵衛は黙っている。平四郎の鼻息は荒い。

「こんなにごたごたするくらいなら、早いうちに夫婦別れしちまえばよかったんだ。おふじだってさ、宗一郎の父親と駆け落ちでもなんでもすりゃよかったじゃねえか。総右衛門だってさ、おふじが赤ん坊を産んだときに、手前の子じゃねえって知ってたなら、即座に二人とも叩き出しちまえばよかったんだ。それを長々と引っ張るから、上手く刈りゃすぐ平らになったはずのもんが根を張って、幹が太くなって、枝葉がわ

らわら茂っちまって、今じゃ見通しが悪くてしょうがねえや」

おっしゃるとおりでございますよねと、久兵衛が気抜けしたような声で言った。平四郎は目玉を動かして彼の顔を見た。

久兵衛は、かすかに涙ぐんでいる。

「宗一郎様が、間違いなく」と、小声でつぶやくように言う。「旦那様のお子でないのなら」

「だから、違うんだろ？」

「それでも、立ち居振る舞いやお声など、似ているところもおありです」

わからないのでございますよと、久兵衛は声を振り絞った。

「本当のところはわかりません。宗一郎様がお生まれになったのは、ご夫婦が添ってからのこと。十月十日《とつきとおか》、月満ちて、月日に足りないことはございませんでした。ですから正直なところ、おふじ様ご自身にも、みごもった赤子がどちらの胤《たね》なのか、わかったはずはないのです。ただおふじ様は——」

想う男とのあいだにできた子だと思いたかったのか。だからそう、総右衛門に告げた。総右衛門はそれを呑み込んだ。だが、そこで一緒に呑み下した怒りが、毒となってやがて総身に回った。

そこに現れた葵と、大勢の女たち。総右衛門とおふじのあいだには、二度と埋まら

ない溝ができて、そこには橋もかからず、船も通わない。すっぱりと断ってしまえないものもあったのだ。すっぱりと断ってしまえないものが。

それでも、刈り取りきれないものもあったのだ。

やっぱり俺にはわからねえ。お手上げだ。

「なあ、久兵衛」

久兵衛は平四郎の方に目を向けた。その拍子に、目じりに滲んだ涙が揺れた。

「想うとか想われるとか、愛《いと》しいとか憎いだとか、そんなことばっかりで、俺たちゃ生きていかれねえよな？　そういうことは二の次三の次、日々の暮らしで精一杯。俺はよ、そんな連中のことならよくわかる。だが、湊屋さんのご事情は、俺には──手に負えねえ」

やけっぱちの剣突《けんつく》だ。久兵衛は返事をしない。雨の音を聞いている。

遠くで、弓之助がくしゃみをした。

十一

ぶらぶら歩きで通り過ぎる商家の店先の日除けが、丈《たけ》の短い暖簾《のれん》に替わっている。平四郎が気づいていなかっただけで、とっくに替えられていたのだろう。まったくこ

の夏の終わりから秋にかけては、上を下への忙《せわ》しない気分が続いている。

「おう、そうだ」

と、平四郎は傍《かたわ》らの弓之助を見おろして問いかけた。

「お徳の店の祝いに、屋号を染め抜いた日除けと暖簾をひとそろい贈ってやるというのはどうかな」

つい昨日、河合屋一家はどこぞのお店の主人の快気祝いだとかで、お呼ばれをしたそうだ。そのために、弓之助は出入りの髪結いに顔剃りをしてもらった。それでなくても白い肌がなおさら白く、眉の形は人形のように整い、ほっぺたに円《まある》く日差しが映る。

「妙案ですが、叔父上」と、美形の子供はにっこり笑った。「それよりも先に、まず屋号をつけて差し上げなくてはなりませんよ。お徳さんは、叔父上にお願いしたとおっしゃっていました。お忘れですか？」

そんなこと、頼まれたような気もする。平四郎は指で顎の先をつまんで思案した。

「〝徳屋〟じゃまずいかね？」

「もうひと工夫」

こういう洒落《しゃれ》っ気の要ることは苦手である。

「あすこがおみねの店だったころも、特に屋号はついてなかった。みんな〝おみねの

店〟と呼んでてさ」

「だからこそ、お徳さんのお店になったからには屋号が要るのでございましょ」

二人はそのお徳の仕出し屋を目指して歩いている。政五郎が来るというからだ。平四郎にはそれとは別に、お徳に弁当を作ってもらうという用件もあった。

青空に、しぃんと冷たい微風。どこかしらから焚《た》き火《び》の香ばしい匂いが漂ってくる。春の花の香も好ましいが、平四郎は秋のこの枯れたような気配も好きである。枯葉もあと数日ですっかり散りきってしまうだろう。行きかう人たちの顔も、好天をいただいて明るいが、皆が早足になっているのは、日々どんどん陽が詰まるせいだろう。

角を曲がるとき、炭俵を積んだ大八車と勢いよくすれ違った。平四郎はさっと弓之助の手を引いて脇に避《よ》けた。

「こら旦那、おそれいりやすぅ」

大八車の引手は、足を緩めないまま声だけの愛想をする。

「おいおい、二俵積みすぎだ」と、平四郎は胴間声で呼びかけた。あいすみませぇんという返事が、ガラガラと回る車輪の音にまぎれて遠くなっていった。

「ひと目見ただけで、積みすぎがわかるのでございますか？」

弓之助は目を瞠《みは》っている。

「そうか、叔父上は高積見廻《たかづみみまわ》りのお役目をしていたこともあるのでしたね」

「あてずっぽうだ。町場を行く大八車に積みすぎでない車なんぞねえ。何を言ったたってあたらぁな」

それよりも——と、平四郎は甥っ子のつるつる白玉のような顔を見た。

「おまえ、このごろとんと物を計らなくなったじゃねえか。宗旨替《しゅうしが》えかい。あの佐々木とかいう師匠にはまだ習ってるんだろう？」

弓之助は、平四郎の家に親しく出入りする以前から、佐々木道三郎《みちさぶろう》という浪人者に師事しているのである。西国から流れ流れて江戸へたどりつき、佐賀町《さがちょう》の長屋に侘《わび》しく独りで住まっているこの先生を、彼はいたく尊敬しているらしい。

それは結構なのだが、問題はこの佐々木先生が、三度の飯より測量が好きという御仁であることだ。測量とは、何のためにするかと言えば、地図や切り絵図を作るためだ。他に使い道などあるわけがない。しかしそれは本来お上の裁量するところで、許可なしに作ればお咎《とが》めがかかる。弓之助は、先生はご自身の学究のためになさっているのですから、何の後ろめたいこともありませんと言い切るが、ひとたび出るところに出たら、そんな理屈は通用しない。平四郎は少しばかり心配していた。細君も案じているようだ。

「習っておりますよ。わたくしたちに読み書き算盤を教えるのは、佐々木先生の生計《たつき》

の道でございますからね。でも叔父上、ご心配をおかけして申し訳ありません」

弓之助は平四郎の手を離し、歩きながら器用にぺこりと一礼した。

「先生も、近頃ではよほど用心なすっているようです。わたくしたち生徒が地図や絵図のお手伝いをすることもなくなりました」

それを聞いて、平四郎はちょっと安堵した。

「でもわたくしが、何でもかんでも計る癖《くせ》を仕舞いにしましたのは、そのせいではございません。佐々木先生に、〝もうその時期は終わりだ〟とお教えをいただいたからでございます」

初めて会ったとき、目に入るものを片っ端から空で計ってみせる弓之助を、平四郎は大いに面白がった。そして、どうしてそんなふうなのかと尋ねると、弓之助はこう答えた。

——計れば、ものとものとの距離がわかります。距離がわかれば、ものの在りようがわかります。

その言葉を踏んで、平四郎は尋ねた。「佐々木先生は、おまえにはもう、ものの在りようがわかったから、いちいち計らんでいいと言ってるのか」

弓之助はあわてたようにかぶりを振る。

「いえいえとんでもない、叔父上、わたくしなどまだまだです。それに、たとえもの

の在りようはわかっても、世の中の理《ことわり》はそれだけではありませんもの」

「だが、計ればわかるんだろ？」

「計れるところは」

弓之助はゆっくりと言葉を嚙んだ。

「でも、世の理は、計れるところばかりに表れるわけではございませんよね。佐々木先生はわたくしに、ものを計るという稽古は積んだ、これからは、計れぬところをよく見て考えるようにとおっしゃったのです。だから、もう計測はほどほどにしておけ、と」

平四郎は立ち止まった。「履物《はきもの》を見せな」

弓之助は素直に、履いていた小さな草履《ぞうり》を片方脱いで差し出した。平四郎はそれを裏返した。

「本当だ。もう鋲《びょう》がねぇ」

盛んに計測をしているころ、弓之助の履物の前と後ろには、ひとつずつ鋲が打ってあったのだ。鋲が地に触れて音をたてる、その音の響きを、いつでもどこでも同じ歩幅で歩く目安とするためである。

計れぬところをよく見ろとは、難しい注文だ。草履を履きなおす弓之助を待ちながら、平四郎はちらりと考えた。

「先生の言う、計れぬところってのは、どんなもんだとおまえは思う？」

ちょうど吹き寄せてきた風に目を細めて、弓之助は答えた。「人の想いでございましょうか」

確かに、それは匁《もんめ》でも寸《すん》でも計れない。

「たとえば、お嫁入り支度をしているとよ姉さまの幸せな心持ちとか」

やや、本決まりになったかと平四郎は声をあげた。

「よかったなぁ！」

「はい。今のとよ姉さまのお顔ときたら、お陽さまよりも輝いていますよ。しかも、日ごとに輝きが強くなるようです」

世間知らずのお嬢様の、しかしだからこそ生真面目なまなざしを、平四郎は思い出す。

おとよのつかんだ縁が、幸縁であってほしい。願うことしかできないのは歯がゆいが、それでも念じてしまう。どこかの大問屋の主人とお内儀のようなかけ違いのない、真っ直ぐな夫婦の縁であるように。

「お徳がどんな屋号なら手を打って喜ぶかってことなんぞも、計れねえな」

「そうでございますよねえ。さて何がいいかしら」

と言って、弓之助は鼻をひくひくさせた。

「お腹の鳴りそうないい匂いがしますね。まだお徳さんのお店は遠いのに」

醤油の焦げる香りである。平四郎はにやりと笑った。

「この先の木戸番で、焼き団子を売ってるんだ。手土産《てみやげ》に買って行こうじゃねえか」

弓之助はぴょんと飛び上がり、元気よく駆け出した。

焼きあがっている分をそっくり包んでもらってきたのだが、たちまち売れてしまった。年頃のおさんはともかく、おもんはまだ食べ盛りなのだと平四郎は思った。弓之助と競うようにして団子を頬張っている。

「こら、行儀が悪いよ。そんなにあわてて食べるんじゃないの。口のまわりをお拭き」

お徳に手の甲をぴしゃりと叩かれ、睨まれている。

「まったくもう、これじゃあたしがちゃんと食べさしてないみたいじゃないか」

お徳が嘆く。政五郎は笑っている。平四郎は団子を飲み込んで、茶をがぶがぶ飲んだ。

「お八つが済んだら、おまえらで店番を頼むよ。俺たちはこれからちょっと、おかみさんと話があるんでな」

「それならお手伝いしましょう」と、弓之助が立ち上がる。「わたくしは、しばらく

お徳さんにお会いしていなかったので、ご挨拶がてら遊びに来ただけなのです。用事があるわけではありません。使ってやってください」

如才ないものだ。小座敷から店の土間にするすると下りると、あれ、これは新しいお菜《かず》じゃありませんか、美味しそうですねなどと指さして褒め上げる。おさんが説明を始める。おもんは弓之助に興味を抱いたらしく、彼が動いたりしゃべったりするのをじいっと見つめている。

「ところで、彦一の顔が見えねえが」

店にはお徳と二人の娘しかいなかったのだ。

「ずっと手伝いに来てるんじゃねえのか」

「今日は棟上《むねあげ》なんですよ、石和屋《いさわや》の」

彦一が料理人として働いている料理屋である。火事で焼け落ち、建て直しをしている最中だ。彦一は、その間は暇なので、お徳を手伝うと申し出てくれたのである。

「棟上が済むと、それから先はあれよあれよと進むもんだ」と、政五郎が言った。

「しかし、彦一さんが石和屋に帰っちまうと、淋しくなりますね、お徳さん。今日だって何か、歯が欠けたようじゃござんせんか」

お徳は首に巻いた手拭いで額を拭き拭き、身を折るようにしてうなずいた。「本当にね、彦さんのおかげでどんなに助かったかわからないからねえ。心細いですよ」

そして、わずかに眉をひそめると、平四郎と政五郎の顔を見回した。

「でも彦さん、おかしなことを言うんですよ。石和屋が商いを始めても、自分はここに残るとかってさ」

焼き団子の醬油が指にくっついている。平四郎はそれを舐め舐め、「残るってのら、どういう意味ら。石和屋をやめるってか」

まったく子供みたいな旦那だねと言って、お徳は笑う。

「そういう意味でしょうよ。そんなとんでもないって、あたし叱ったんです。あの人はあんだけの腕なんだしさ、それにね、旦那も親分も、驚かないでくださいよ。よく聞き出してみたらさ、あの人はただの料理人じゃないんです。庖丁人《ほうちょうにん》なんですよ」

「何か違うのか」と、平四郎は政五郎に訊いた。

「〝庖丁人〟と呼ばれる料理人は、ひとつの料理屋に一人しかおりません。いちばん上席の、いわばその料理屋の看板ですよ」

そいつは凄い。「あいつはいくつだ。三十にはなってるか」

「ええ、ちょうどだって言ってました」

「若いですねえ」政五郎は感心している。

「なかなかその歳で庖丁人になれるものじゃない。ましてや石和屋は名店だ」

お菜を買いにお客が来た。おさんとおもんと弓之助が、声をそろえて「いらっしゃいませ」と応じる。お客のビックリ顔が可笑《おか》しい。

「しかしあいつはその……なんだ、そういう名店の高級料理ばっかりをこしらえている暮らしに嫌気がさしてるんだろう？　そう言ってたじゃねえか。だったら石和屋をやめてここに残ったって、別段不思議じゃねえやな」

「そういうもんじゃないよ。それは違うよ」

お徳は真顔になった。

「そりゃ確かに、彦さんは今、迷ってるんだと思うよ。あたしもあの人の話を聞いて、気持ちはよくわかったもの。でもさ、いつか迷いが晴れたら、やっぱり石和屋こそがあの人のいる場所だって、気がつくと思うんだよ。そのとき後悔したって、もう遅いだろ。どんなに苦労してつかんだものでも、いっぺん捨てちまったら取り戻せない。うんと努力をして、運にも恵まれて引き立ててもらわなきゃ、あの歳で庖丁人になんかなれないってのは、親分が言うとおりですよ。そんな大切なものを、一時の気の迷いで捨てるなんて、あたしゃ勘弁できないね」

しゃべりながら怒り出してしまった。平四郎は笑った。

「ここでおまえが息巻いたってしょうがあるめえ。ま、彦一も一人前の男だ、ちゃんと思案してるだろうよ」

ところで――と、政五郎が肉付きのいい膝を乗り出した。

「その彦一さんが手がかりになりましてね。おみねの行方に関わることなのですが」

政五郎が今日ここを訪れたのは、その用件のためなのである。お徳が彼に、おみねの消息を探るよう頼んでいたのだ。

「彦一が何か知ってたのかい？」

「直《じか》に知っているわけじゃなかったんですが、料理人のことは料理人に訊け――ということでして。まことに燈台下暗《もと》しというやつでござんすね」

おみねは、この幸兵衛長屋に移ってきてお徳の商売仇になる以前、亭主と二人で角《かど》屋《や》という仕出し屋を営んでいた。

「確か――両国橋西詰めで」

平四郎は記憶をたどった。おみねの過去のことは、絵双紙《えぞうし》版木《はんぎ》の彫り手の喜一《きいち》から聞いている。

「はい。角屋は花火舟に出す料理であてた店で、えらく繁盛していたそうでござんすよ」

しかし今年の春、おみねが夫婦別れをして家を出たら、店はまたたく間に傾いてしまった。

「おみねさんのご亭主は仙吉《せんきち》といいまして、歳はもう六十ですよ。一昨日《おとつい》、会って参

りました」

「見つけたのか。手早いな」

政五郎は笑って掌を上げた。

「ですから、それが私の手柄じゃございませんので。両国橋近辺を訊き歩いても、角屋をたたんでからの仙吉の消息はわからなかったんですが、それを何と彦一さんが知っていたんです。石和屋での彦一さんの得意客が、たまたま、角屋の馴染み客でもありましてね。何かの拍子に石和屋で、仕出しの角屋は残念なことをした、亭主が子供を抱えて困っていて気の毒だと話していたことがあったそうでして……」

彦一はそれを耳にして、頭のどこかで覚えていたのだろう。政五郎が、その角屋の女房こそが、実はこの店の先《せん》のおかみだったんだということを話すと、世間は狭いと大いに驚いた。そして、その得意客に訊けばもっと詳しいことがわかるだろうと、政五郎に教えてくれたのである。

「それでお訪ねしてみましたら、仙吉は今、神田新《あたら》シ橋そばの蕎麦屋《そばや》で働いているという話で。その人だけでなく、角屋の得意客が何人か集まって、あちこち働き口を探したんだということでござんした」

「お蕎麦屋さんですか。仕出しじゃなく」

お徳が呟いた。政五郎はうなずく。

「店の構えや、どんなお客と商いをするかにもよりますが、仕出し屋の仕事はかなりきついものですわな。角屋をつぶして腕一本で奉公に出直そうというのでは、なにしろ歳が歳ですから、本人が気が進まなかったらしい。えらくしり込みしたそうですよ。まあ、慣れ親しんだ仕事で、今さら人に追い使われるのもね」

気持ちは察することができる。角屋はおみねが仕切っていたそうだから、仙吉とて主人としてそっくり返っていたわけではなかろうが、形ばかりとはいえ一時は使用人の上に立つ暮らしをした後で、また追い回しに落ちるのでは辛かろう。

「もともと仙吉は、彦一さんみたいにちゃんと庖丁の使いようを習ったわけじゃねえ。振り出しは蕎麦打ちで、お菜の方は見よう見まねで覚えたものだったそうですよ。おみねと所帯を持つまでは、あちこちの店を渡り歩いてね」

「じゃ、所帯を持ったのは、おみねとが初めてか」

「はい、子供も初めてですよ。上に五つの男の子、下に三つの女の子。遅い子供ですから、そりゃ舐《な》めるように可愛がっていたそうですが、角屋が駄目になってからというものは、この子たちに飯を食わせるのも難しいというんで、二人とも里子に出したそうです。これも、例のお得意さんたちの口利きで」

元の得意客にそれほど親身になってもらえるというのは、仙吉の人徳だろう。あまりに頼りなくて見てられねえ——ということもあるのだろうけれど。

「人生ぐるりとひと回りして、また雇われの蕎麦打ちでござんすよ。とりあえず食うことはできても、淋しいんでしょう。今の店じゃ、話相手もいねえんでしょう。いや、しこたま身の上話を聞かされました」

政五郎は苦笑しながらうなじを撫でる。

「口先では、やれあれは毒婦だ、あたしは騙されたとおみねをなじってばかりいましたが、実はまだ未練があるようでした。おみねさんは行方知れずになっているよと言ったら、目の色を変えてうろたえましてね。心配なんでしょう」

「てめえの心配もしきれねえだろうにな」と、平四郎は言った。お徳は、ぶすりとふくれている。

「そもそも、おみねはなんで仙吉と一緒になったんだろう」

「小金を持っていたんですよ、仙吉は」と、政五郎がすぐに答えた。「知り合ったとき、おみねは小舟町《こぶなちよう》の飯屋で働いていたそうです。旨い肴《さかな》やお菜《かず》も作れば酌婦《しやくふ》もするという具合で、お客には人気があった」

おまけに婀娜《あだ》っぽい女だったし。

「仙吉は客として出入りするうちに、ぞっこん入れあげちまったんですな。そういう客は大勢いたそうです。だが、おみねは仙吉とくっついた」

その話をするとき、他の連中よりもあたしの方が甲斐性があったからだと、仙吉は

大いに自慢気だったという。溜めた小金を甲斐性と呼ぶのならば、違いない。おみねがそれに目をつけたことも間違いなかろう。平四郎は思わず笑ったが、お徳はいっそうしかめ面になった。

そして角屋ができた。美人でやり手のおかみで繁盛した。評判もとった。夫婦は可愛い子供にも恵まれた。そのままならば、仙吉は、人生の終わりに近くなって桃源郷《とうげんきょう》にたどりついたことになったろうに。

ぼそりと、低い声でお徳が言った。

「五つと三つかい」

平四郎はお徳の顔を見た。お徳は口をへの字に曲げている。

「子供、よくまあ置いて出る気になったもんだね。亭主と合わなくなったからってさ、子供は捨てられるもんじゃないと思うけど」

手拭いで、今度はくしゃくしゃと鼻の下を拭う。ついでにしゅんとかむ。

「あたしだったら、どうしても別れなくちゃいられないっていうのなら、亭主の方を追い出すね。自分が店に残って、子供を育てる」

「勇ましいな」と、平四郎はまぜっかえした。

「それじゃ駄目だったのかね、おみねさんは。他に何かあったんだね。亭主だけじゃなく、子供を捨ててもいいと思うほどのものが」

きつく問いかけるような目で、平四郎と政五郎を見回す。平四郎は答えない。政五郎も黙っている。

「情夫《いろ》なんだろ？　男だよ。女がおかしくなるのは男のせいだもの。他にあるわけないよ。ああ、嫌だ嫌だ」

自分で言って、自分で嫌気し、どすどすと立ち上がった。「お茶を入れ替えるからね」

立ったついでに、おさんとおもんにガミガミ言いつけている。空いた器はすぐ洗え。お菜が半分方売れたなら、残った分が見栄えよくなるように盛りつけを変えろ。叱られてびくついているおさんとおもんをかばい、弓之助が調子よく、はいはいわかりましたと受ける。そのあいだにも客だ。入れ替わり立ち替わり、さっきから何人来たろうか。

「お徳さんにおみね探しを頼まれた以上、おみねと晋一《しんいち》のことを話さないわけにもいかんでしょう。よろしゅうござんすよね」

政五郎が遠慮がちに念を押す。平四郎はうなずいた。

「こうなっちゃ、伏せておく意味もねえ。ああして察してるしな。ただ、お徳がどうしておみねを探してほしいのか、俺には今ひとつわからんのだがな。放っておけばいいのにさ。気性《たち》なんだろうが」

「お徳さん、すっかり事情を知ったら、仙吉や二人の子供の面倒も見ると言い出しそうで、私《あたし》はそれが気がかりなんですが」

お徳ならありそうなことだ。

「仙吉は、おみねと晋一の仲を知ってたんだろうかね」

「なかなか真っ直ぐには聞きにくいんで、私も遠まわしに謎をかけてみたんですがね。おみねが家出したのは、きっと情夫ができたせいに違いない——という返事で」

盛んにひがんで嫉妬していたが、

「どっかの若い男だろう、客かもしれないとあて推量していましたから、晋一のことは知らなかったようです」

その点でもおみねは巧妙に立ち回り、仙吉にしっぽをつかませなかったのだ。

「吟味方《ぎんみかた》に聞いてみたんだが」と、平四郎は小声で言った。「晋一は打ち首が決まったよ。不忍池《しのばずのいけ》の待合いの殺しだけじゃなく、叩きゃ叩くだけ埃《ほこり》が出る野郎なんで、思いのほか手間取ったそうだがな。さすがにあらかた出尽くした。本人は遠島《えんとう》に望みをつないでいたらしいが、お白州《しらす》は甘くねえ」

今どこでどうしているかわからないおみねは、それを知っているだろうか。知ったら、愛しい晋一を助けようとするだろうか。

「その待合いの殺しですが」政五郎も声を低くする。

「日本橋の油問屋の若おかみだったな」

「お店はつぶれてしまいました。悪い評判が立ったせいもありますが、何より、若おかみに金を持ち出されたのがひびいたようでして」

若おかみにとっては、晋一と駆け落ちするための金だった。だがそんな女を殺し、晋一は金を持って一人で逃げた。その後も、行状を改める気などさらさらなかった。おみねが一度は亭主と子供を、二度目はこのお菜屋を捨ててまで一途《いちず》に走った情夫《いろ》は、そんな男なのだ。

「油問屋の方には、お徳みたいな奇特な助っ人がいなかったんだな」

若おかみの、一時の気の迷いがお店ごと殺したか——と、平四郎は呟いた。

政五郎は空になった湯飲みに目を落とすと、穏やかな口調で言った。「情夫に狂うのは、一時の気の迷いじゃござんせんよ、旦那。それが悲しい、厄介なところで」

平四郎は唸った。

「嫌な話だな。口なおしに、ひとつ良いことを教えるよ。あの時、晋一の捕り物に一役かってくれたおとよが、嫁に行く」

政五郎のごつい顔がほころんだ。「ああ、それはようございましたね。おめでとうございます」

「本人も嬉しがっているようだ。俺もちょいと前に会ったばかりだが、きれいになっ

て、落ち着いていたよ」

「いいお嬢さんでございますよ。花婿さんは三国一の果報者だ」

ぼやっと突っ立っているおもんを叱り飛ばしながら、お徳が土瓶《どびん》をさげて戻ってきた。

「親分さん、でもそんなんじゃ、仙吉さんて元のご亭主は、おみねさんの今の居所なんか知っちゃいませんよね。わざわざ探し当てて行ってもらったのに、とんだ無駄足をさせちまったんでしょう」

新しく注がれた番茶がいい香りだ。お徳、先《せん》より佳い茶に替えたなと平四郎は思う。ふと、芋洗坂の屋敷でお六がいれてくれた茶のことを思い出した。あれは贅沢だった。

ここでの用が済んだら、お六のところへ向かうつもりである。新しい奉公先では、あのような銘茶とは縁がないだろうが、お六は元気でいるだろうか。

「それがそうでもないんですよ、お徳さん。やっぱり、伊達に夫婦をやってたわけじゃねえ」と、政五郎は言った。「何かで困ったとき、おみねさんが頼っていきそうな人や所はありませんかねと尋ねると、そう長く考えないで教えてくれましたよ」

大方は角屋の贔屓客だが、二人が所帯を持つ以前の、飯屋のころからの知り合いもいるという。おみねは顔が広く、あてにできそうな男の蓄えをたくさん持っていたら

しい。平四郎はちょっと呆れ、大いに感心した。

「これから、ひとつひとつあたってみます。たぐっていけば、どこかでおみねにたどりつくでしょうよ」

「親分さんじきじきに、本当に申し訳ないことですよ」お徳は殊勝に頭を下げる。

「私《あたし》はこれがおまんまの元だ。お徳さんに詫びられることはねえ。ただ、おみねを見つけたらどうするつもりなのか、聞いておきませんとな。これは、この話を請け負うときにも、お徳さんご自分の胸と相談しておいてくださいと、お願いしておいたはずですが」

「どうするって……」

お徳は助けを求めるように平四郎を見た。平四郎は涼しい顔というのをつくってみようとして、笑い出した。

「俺に聞くな。俺は知らんぞ」

「だって旦那」

「だってじゃねえや。それよりお徳、政五郎と難しい話をする前に、ひとつ頼まれてくれ。危うく忘れちまうところだった。俺は今日、だべりに来たんじゃねえ。お客で来たんだ」

明後日《あさって》の朝、早立ちで、平四郎は川崎へ行くつもりである。

「ちっと頼み事をしに行くんでな。先様に土産を持っていきたいんだ。折り詰めをこしらえてくれねえか」

孫八の様子を確かめに、湊屋の川崎の別邸へ行くのである。久兵衛が待っている。

「頼み事ってどんな事ですか」

「内々の話なんでな。まあ、たいした用事じゃねえが、折り詰めは立派なのがほしい」

本当は、お徳に教えてやれたらいいと思う。おまえが作った折り詰めを見せて、食わせて、久兵衛を喜ばしてやりたいんだよ、と。お徳は立派にやってるよ。幸兵衛長屋で、お菜屋と仕出し屋をやっている。たいした腕だろう、ほら旨いだろう、と。

「それなら、ええ、作らせてもらいます。何人分ぐらいの折り詰めですか」

「二、三人かな」

「小平次さんが背負って行くんでしょう？」

「そうだよ。そういうときの中間《ちゅうげん》だ」

「旦那と小平次さんの道中の握り飯も要りますね？」

「一緒にこしらえてもらえたら有難い」

「わかりました。明後日の朝ですね。暁《あかつき》七ツ（午前四時）ごろまでにお届けにあがります」

さあどうしよう、あんまり重くちゃ難儀だしと、お徳は早くも商いの顔になる。さっきの思案顔とは打って変わり、生き生きとしているところが嬉しい。

平四郎は刀をつかんで腰をあげた。帰るぞ、弓之助――と、声をかける。おさんと顔を寄せて、何やらきゃあきゃあと楽しそうだった弓之助が、はぁいと応じた。おもんは、少し離れたところから二人の様子を見ている。平四郎は通りしなに、おもんの頭を軽くなでた。

「こいつがまた来たら、遊んでやってくれ。ついでに店番も手伝わせろ」

おもんがへどもどした。弓之助はいっぱいの笑顔で、はいまた来ますから遊んでくださいねと唱和する。おもんは真っ赤になる。おさんが強い声で、弓之助ちゃん、またねと呼ばわった。

「またねえ、おさんさん」

通りへ出ると、平四郎は長い顎をさらに長く伸ばしてにやついた。

「おまえは年上でもいけるのか」

「おさんさんは、どうもあの黒子《ほくろ》を気に病んでおられるようです」

おさんの顔には黒子が多く散っている。

「今日しゃべったばっかりで、そんなことまで聞き出したのか」

「まさか、違いますよ。若い娘さんは、自分の見てくれで気に病んでいる事柄を、め

ったに口にしたりはしないものです」

「わかったようなことを言ってくれるな」

弓之助は大真面目である。「おさんさん、お顔にね、よく手をあてるのです。特に黒子の目立つ右のほっぺたを隠そうとして。ご自分では気がついていないと思いますが」

心に深くかかっていることを、身体の動きが表すのでございますねと言う。

「とよ姉さまの嫁ぎ先は紅屋ですが、紅だけでなく、お化粧品も扱っています。売り物のひとつが〝美顔膏《びがんこう》〟と申しましてね、肌が白くなる軟膏《なんこう》なのです。ウグイスの糞《ふん》に、秘伝の調合で混ぜ物をして作るそうでして」

「しかし黒子に効くかい？」

「わかりません。もっといいものがあるかもしれませんし……。とよ姉さまに相談して、ひとつ、おさんさんに差し上げてもらおうかしら。とよ姉さま、叔父上を訪ねて道に迷っているところを、おさんさんに助けてもらったそうですから」

弓之助は俺よりよっぽど気が回る。女子《おなご》の気持ちもよく察する。回りすぎ察しすぎ、道を誤って晋一のようにならないうちに、やはり養子にとるべきだろうかと、平四郎は考えた。

「次は神田多町《たちよう》へ回るのでしたね、叔父上」

多町、鍋町《なべちょう》は問屋の多い町だが、お六が働いているのは〝いさご〟という飯屋である。芋洗坂の屋敷に出入りしていた人物やそこであった出来事について、思い出せる限りのことを書き物にしてくれと頼んでおいたのを、もう取りに行ってもいい頃合だろう。

「お六の書き物はひらがなだろうから、おまえ、後で書き直してくれ」

「あい、わかりました」

「ついでに、お六とあれこれ話をしてくれ。そこで出てきた話にひっかかるものがあったら書き足してくれ」

「叔父上の後で、わたくしが新しいことを聞き出せるとも思いませんが」

謙遜《けんそん》の美徳である。

「それにしても叔父上、お徳さんのお店、大繁盛でございますね」

屋号はどうなさいますとまた訊かれた。ちょうどくしゃみが飛び出したので、それでごまかしてしまった。

一丁目の、伊勢屋《いせや》という大きな草履《ぞうり》問屋の裏だと聞いていた。行ってみると、確かに伊勢屋も大問屋だが、すぐ隣に立派な茶問屋がある。白木の美しい茶箱を積み上げて、紺の前掛けをした奉公人たちが忙しげに立ち働く。

どんな用件であれ、お六を訪ねて馬面の町方役人が来たというのでは、働き始めたばかりの飯屋《めしや》に訝《いぶか》られることになって可哀想だ。だから弓之助を連れてきたのである。

いさごの場所を確かめた平四郎が、弓之助を店のなかにやり、自分はぐるりと戻って茶問屋の前に、小売もするようなら少し買ってゆくかと思案していると、お六がやってきた。

「旦那、お久しぶりでございます」

きびきびとした口調に、顔色もずいぶんと明るくなっている。

「元気そうだな」

あとから弓之助がついてくる。お六は笑み崩れている。

「可愛らしい坊ちゃんですね。旦那のお手伝いをしているとか」

「甥っ子だ。弓之助、お六にちゃんと挨拶したか？」

「まだでございます。初めてお目にかかります」ぺこりとお辞儀をする。お六は手を振り絞って喜んでいる。

「坊ちゃんたら、いさごに来て、ああびっくりした、お六おばさんお懐かしいですね、なんて言ってね」

「お忘れですか、八丁堀先の井筒屋の弓助《ゆみすけ》ですと申しました」と、弓之助はにっこり

する。

そうやってお六を連れ出してきたのだ。巧く立ち回る子供である。

「こいつの頭のなかには油が溜まってるんだ。だから音もなくするするとよく回る」

と、平四郎は笑った。「お六、銘茶に縁があるな」

見上げる茶問屋の看板には、「銘茶　紀州御用」と麗々しく書いてある。

「そうですね。良いお茶の香りをかぐと、奥さまを思い出します」

お六はしみじみとまぶしそうな目をした。

「おかげさまで、こっちですっかり落ち着きました。うちの子たちも元気です」

「そいつは何よりだ」

お六は帯のあいだに手を入れた。

「旦那のお言いつけで書いたものです。あたしの字ですから、読みにくくてすみません。いつ旦那がいらしてもいいように、ずっと持ってたもんですからよれよれで……」

差し出された書き物はぺったんこになっていて、かすかにお六の温もりが移っていた。

「ありがとうよ。助かる」

「本当にお役に立つかどうかは、なかを読んでみてからでないと、旦那。あたしも坊

ちゃんみたいによく回る頭ならよかったんだけど、なにしろぼうっとしてますから」

平四郎はいきなり訊《き》いた。「旨《うま》いか？」

「は？」

「いさごの飯さ」

お六は笑って、どんと胸を叩いた。「そりゃもう、折り紙付きでございます」

さっきから、銘茶の香りを圧倒して鼻をくすぐる煮物の匂いに腹が鳴りそうだ。

「知らん顔をしてふらりと入るなら、おまえの迷惑にはなるまいな？　弓之助を頼んでいいか」

はい、もちろんですと、お六は弓之助の手を取った。「いいところに来ましたよ、坊ちゃん。お昼に出した栗ご飯が、一膳分だけ残っているの」

俺の分はないらしい。まあいいやと、平四郎は縄のれんをくぐった。いらっしゃいと、威勢のいい声が飛んでくる。

お六をここに世話したのは久兵衛である。あの爺さん、どういう伝手《つて》を持っていたのだろう。よくぞ知っていたものだ、この店を。

山椒《さんしょう》の香りをきかせた身欠《みが》き鰊《にしん》の煮付けに、青菜の胡麻《ごま》あえ。鰊の煮汁をさっとからめた焼き豆腐。小皿のお多福豆《たふくまめ》はふっくらと甘い。葱《ねぎ》と油揚げのおみおつけは熱々

で、味噌が辛味の強い上州の産だというのも気にいった。

食い物屋商売は楽しいだろうな——せっせと箸を使いながら、平四郎は思った。旨いものを作れて、それを喜ぶ客がいて、生業《なりわい》になったなら。食べることには終わりがない。一度ついた客は、こちらが裏切りさえしなければ、ずっと覚えていて、通ってくれる。食べ物は消えものだが、旨いものを食べたときの喜びは残る。

いさごの主人夫婦は、二人でやっとお徳一人分くらいの重さだろう、そろって枯木のように痩せている。だが二人ともよく働き、あの細い腹のどこから出てくるのだと驚くようなでかい声で挨拶をする。お六は笑顔を振りまきながら夫婦を手伝い、客たちからも親しく呼びかけられている。

相客たちは常連のようだ。こりゃ旦那、お役目ご苦労さまですと、最初のうちはかしこまっておとなしかったが、ひと口食って、旨いなぁと平四郎が感嘆すると、みんなして、まるで自分の手柄のようにああだこうだと自慢を始めた。旦那、こっちも食ってみなよ、いやこっちはどうだ、おいお六さん、今日はあのつけ焼きはねえのかい、え、売れちまったのかよ——かまびすしいことこの上ない。

弓之助はお六の客ということで落ち着いてしまい、隅の方の席で悠々《ゆうゆう》と栗ご飯を食べていた。「お六おばさん」という呼びかけだけで、すっかり通用してしまったようだ。

おや可愛い子じゃねえか、お六さんのこれかいと、親指を立ててお六をからかう客もいる。お六もお六で、はい、あたしの大事なぬしさまですからね、ちょっかい出さないでくださいよとやり返す。お運びの合間には弓之助のそばに座り、焼き魚の身をほぐしてやったり、世話を焼きながら楽しそうに話をしている。

芋洗坂の屋敷で、葵の隠遁《いんとん》暮らしに付き従い、それはそれなりに静かで居心地がよかったろう。だがお六にとっては、今のような忙しく賑やかな暮らしの方が、やっぱり幸せなのではないか。

葵本人だって、またこういう暮らしをしたかっただろう。人に交わり、商いをし、人を指図し、問われたり答えたり、笑ったりしゃべったり。上方《かみがた》ではそうしていたというのだ。弱った身体を養生し、元に戻れば、また忙しい日々が待っていると、本人だって思っていただろう。

まさか、あのような形で自分の命が終わるとは、夢にも思っていなかったことだろう。

明るく立ち働くお六の姿を眺めながら、平四郎は唐突に胸をつかれた。これまで、葵の亡骸に対面したときでさえ、こんなふうに感じはしなかったのに。自分でも奇妙に思えた。なぜ今こんな場所で、俺は初めて葵を哀れに思い、葵の無念に思いを馳《は》せているのだろう。

旨い食い物のせいかな。どんな理屈よりも、この世の決まり事よりも、旨いものを食う喜びが、俺に物事をちゃんと感じさせ、考えさせるのかもしれねえ。

そうだ、しかし——

葵を手にかけた下手人も、今頃こうして、どこかで飯を食っているのだ。旨い飯。温かい飯。賑やかで楽しい飯を。

満腹のげっぷが、途中で止まった。

十二

日帰りとはいえ、平四郎が江戸から外へ出るのはずいぶんと久しぶりのことである。

いつ以来だろうと、思い出してみてもとんと勘定ができない。町役人というものは、気軽に思い立って物見遊山《ものみゆさん》や神仏詣でに遠出することはできない立場だ。ただ、どんな事柄でもそうだが、抜け道というのはある。平四郎が知っている相役たちのなかにも、なんだかんだと口実をつけては出かけるのが上手い者たちがいる。表向きの用件さえ立っていれば、何の障《さわ》りもない。だから平四郎が出かけないのは、偏《ひとえ》に自身の出不精の所為《せい》なのだった。

お徳は約束どおりの時刻に弁当を用意して、八丁堀に届けに来た。彦一も一緒だ。このごろでは、二人がこうして揃っていると姉弟のように見える。夜明け前、あたりはまだ真っ暗だから、彦一は提灯《ちょうちん》でお徳の足元を照らしていた。

お徳は平四郎の細君にバカ丁寧に挨拶し、細君もまたバカ丁寧に挨拶を返す。そのあいだに、平四郎は脚絆《きゃはん》を巻き草鞋《わらじ》の紐をしめた。

「旦那、右と左で脚絆の高さが違うよ」

思わずという感じで口に出したお徳は、細君がそばにいることを思い出したのかあわてて恐縮した。細君はおっとりと、

「わたくしも、どうもそんな気がしますわ」

二人がかりで直してくれた。彦一は笑いをこらえている。

細君もお徳も彦一も、平四郎が川崎へ赴《おもむ》く目的を知らない。ただ「お役目だ」とだけ言ってある。それだから、お徳は心配そうに小さな目をしばしばさせてこう言った。

「旦那のいらっしゃる先は、お大師さまに近いんですかね」

お徳に「いらっしゃる」などと言われると、寿命が縮みそうだ。

「いや、もっと先だ。何でだい？」

「通りがかりに、ちょっくらお大師さまを拝んで行こうなんて思っちゃいけません

よ。かえってお怒りをかうからね」
川崎大師は厄除《やくよ》けで有名だ。厄除けというのは、それだけを目的に、一心に伺《うかが》って
していただくもので、遊興《ゆうきょう》や仕事のついでに立ち寄るなどという不埒《ふらち》なことは、厳に
慎《つつし》まねばならないと、お徳は説明した。
「まあ、そうですの。存じませんでした」
細君は素朴にびっくりしている。
「それじゃあ、今日はお大師様に挨拶しねえで通り過ぎることにする」
「そうなさいませ、あなた。そうして来年、わたくしを連れて行ってくださいまし
な」
「何で来年なんだ？」
「わたくし、厄《やく》でございますもの」
細君は、女の大厄などとっくに通り過ぎたはずである。嘘をつけと、平四郎は笑い
出した。すると細君は口を尖《とが》らせる。
「あら嫌ですわ。厄にもいろいろあるのです。暦《こよみ》を見れば、ちゃんと書いてございま
すよ」
「そうそう、そうだよ、旦那。奥さまのおっしゃるとおりなんだから」
わかったわかったと女たちに手を振って、平四郎は出発した。気をつけて行くので

すよという細君の声に、小平次は「うへえ、奥様行って参ります」と返事をした。その背中に、お徳謹製《きんせい》の弁当、三段重箱を大事に負って。

秋が来て日暮れが早まることを、秋の日はつるべ落としという。しかし、陽が詰まるのは、何も日暮れが早くなるせいだけではない。夜明けも遅くなる。だのに、そっちを言い表す言葉はない。何でかな、というようなつまらないことを話しながら、ぶらぶらと歩き始めた。小平次は提灯を持っている。

新橋へと向かう道中では、南町奉行所の前を通りかかる。今月の月番《つきばん》は北だ。南町は門を閉ざしている。御番所を見て思い出したのか、小平次が訊いた。「旦那、上役の方には、どんなふうに今日の用件を届けておいでになったんで」

「どうもこうもねえよ、正直に言った」

律儀な中間《ちゆうげん》は目を丸くする。

「湊屋さんの別邸に行くと？」

「そこまでは言わねえ。江戸を離れて川崎に暮らしている者に、どうしても聞き取りをせねばならぬ事柄が出来《しゆつたい》いたしました、とな」

「それで通ったのでございますか」

「うん。ついでに頼まれ物をした。品川宿の美輪屋《みわや》という佃煮屋《つくだにや》で、海苔《のり》の佃煮を買

ってきてくれろとさ。井本さんの好物だそうだ」

井本というのが、平四郎の上役で本所深川方の与力である。

「海苔の佃煮くらい、市中《しちゆう》でもいくらでも買えそうなものですが」

「それが味が違うんだそうだ。美輪屋のを食うと、市中のは不味《まず》くて箸《はし》がつけられなくなるそうだよ。俺も買って帰ってみるかな。おめえも佃煮は好きだろう」

少し思案してから、小平次は言った。「はい、とりわけ海苔の佃煮には目がないです。ですから、あたしは遠慮しておきます。ほかの佃煮が食えなくなると切ない」

揺れる提灯の明かりのなかで、平四郎は短く笑った。「なるほど、そりゃ理屈だ。じゃあ、お徳の土産《みやげ》にするか。美輪屋の味を盗んでもらえばいい」

「おお、それは妙案でございます」

仰々《ぎようぎよう》しく届出を出して出かけてきた割には、まるでくだけた道中である。二人とも、中途では握り飯を、湊屋に着いたら重箱の中身を旨く食おうということで、起き抜けに湯漬けを軽く一杯腹に入れただけである。歩き出したらもう小腹が空いた。だから食べ物の話ばかりになる。ぼうっとしているようで、こういうときは気のきく小平次が、川崎までの街道筋の名物名店案内を用意してくれたので、平四郎の頭のなかには、美輪屋以外にも、立ち寄りたい店がたくさん仕込んである。

高輪《たかなわ》の大木戸に差しかかったところで、夜が明けた。朝日がまぶしい。小平次は提

灯を消し、畳んで荷に入れた。この季節ですと、高輪あたりで灯を消せますと、昨日政五郎が言っていた。どんぴしゃりだった。

政五郎はお役目で、まめに市中を出るのかなと、ふと思った。こちらから用を頼むとき以外には、彼がどんな暮らしをしているのかわからないし、岡っ引きになる以前についても、かなり後ろ暗いことがあるらしいという噂以外、平四郎は知らない。知らなくていいとも思っている。

その政五郎は今日、おでこと弓之助を伴って、芋洗坂《いもあらいざか》へ行くことになっている。杢《もく》太《た》郎《ろう》から聞いた、小作人の子供おはつの災難の件を調べるためだ。実りの秋だし、だいたい農家は町場よりも朝が早い。そこを訪ねる政五郎たちも、もう出かけている頃合だろう。

政五郎たちの出発は、予定よりも少し遅れていた。

本所から六本木《ろっぽんぎ》へ行くだけだから、たいした距離ではない。少しばかり遅くなったところで大事はないと、河合屋の裏庭の物干し場で、政五郎は弓之助を慰めていた。

弓之助は、またぞろおねしょをしたのである。濡れた布団は、まるで弓之助にあかんべえをするように、物干竿《ものほしざお》からべろりと垂れ下がっている。弓之助は縁側で、その布団に向き合って、自分の文机《ふづくえ》をそこに据えて、

「もうおねしょはいたしません」

と、書いていた。百ぺん書くまで家を出てはいけないと、母親からそれはそれは厳しく言いつけられたのである。

弓之助は半ベソをかいている。

隣に並んで、おでこも半ベソになっている。

政五郎は笑いを嚙《か》み殺していた。

「坊ちゃん、寝小便くらい、誰でもやることです。そんなに気に病むことはござんせん」

さっきから何べん繰り返しているだろう。それでも重ねて言わずにはおられないほどに、弓之助は萎《しお》れている。

黙々と書く手を止めずに、弓之助は湿ったため息をついた。

「でも、おでこさんはおねしょなんてしないでしょう」

「いやいや、しますよ」

政五郎の返事に、心外だという顔でおでこが彼を見た。政五郎は目配せした。そういうことにしておきな、と。

だが弓之助はわかっている。「そんなことを言って、わたくしを慰《なぐさ》めてくださらなくてもよござんす」

珍しく憎まれ口ふうなことを言う。恥ずかしいだけでなく、自分で自分が腹立たしいのだろう。

「今日のことがあるんで、昨夜《ゆうべ》は眠れなかったんじゃござんせんか。それがいけなかったんでしょうよ」

先の芋洗坂の貸し屋敷の大掃除の折だ。たった今、杢太郎からこんな話を聞いた――と、井筒の旦那がおはつのことを話したとき、弓之助はひどく難しい顔をして、じっと考え込んでいた。政五郎ももちろん、それは怪しい話だと感じた。同じ場所で、続けて二度の首絞めだ。何かしら、葵の件と関わりがあるかもしれない。だが、どうつながるのかがよく見えない。

井筒の旦那は今日、川崎にある湊屋別邸を訪ねる。その日取りが決まった折、弓之助が、叔父上がお出かけのあいだに、政五郎さんにお願いして、そのおはつという女の子に会いに行ってもよろしいでしょうかと言い出した。否やがある話ではない。

だが政五郎は少し案じていた。自分から出かけようと言い出した弓之助の顔色が、どうにも冴《さ》えないからである。さっきの台詞《せりふ》も、けっして慰めのための口上《こうじょう》ではなく、心から言ったのだ。

弓之助は切れ者だ。そこらの大人を十人合わせたよりも上等なおつむりを持っている。だが、魂はまだ子供だ。歳相応に幼い部分がまだまだある。それだけに、頭が回

って見出す事柄に、心がついていかれなくて、彼を苦しめることがあるのではないか。

井筒の旦那の話では、弓之助はよく悪い夢を見るという。そしておねしょをするのだ。それはきっと、弓之助の心の悲鳴が、おねしょという形で現れているのだと政五郎は思う。

井筒の旦那も同じことを言っていた。

——だがな、政五郎。だからといってあの子がおつむりを働かせるのをやめさせるわけにはいかねえよ。そんなのは無理だし、そっちはそっちでまた酷《こく》だ。だったら、今は辛くても、心の方が育つのを待つしか手がねえと、俺は思う。

おねしょはしませんと書き続ける弓之助を見守りながら、今度はおでこがため息をついた。

「なんだ、おめえまで」

苦笑いする政五郎を仰《あお》いで、おでこは言う。

「上手です」

弓之助の字が上手いと感じ入っているのだ。確かに見事な手筋《てすじ》である。

「どうしたら、こんなふうに書けますか」

弓之助は手を動かしながら、おでこを見返ってにっこりした。やっと出た笑顔に、

政五郎は安堵《あんど》する。

「おでこさんだって字が下手じゃありませんよ。わたくしよりちゃんと書いてます」

「違うよう」

おでこは強く首を振る。それこそ、そんなことを言って慰めてくれなくてよござんす、だ。

「いえいえ、本当です」弓之助は眉を引き締めた。「わたくしは、手習いの先生が書いたとおりに覚えて、それをなぞっているだけです。どんなにきれいに書けても、これはわたくしの字ではございません。真似事です。でもおでこさんが書くのは自分の字です。そちらの方が立派です」

ちょっぴり怒っている。筆は乱れない。流麗《りゅうれい》な字が続く。

政五郎は今さらながら、この美形の子の聡《さと》いのに驚いた。きれいに書けても真似事、か。

「うちの母は、怒るとすぐ、こうして手習いをさせるのです。わたくしはもう、おねしょなどと書きたくありません。書いておねしょが止まるなら、百万遍《ひゃくまんべん》でも書きましょう。でも止まりません。だからこれは無駄なことです。それでも母は書かせます。ですからわたくしは、嫌味なくらい上手に書こうとしているのです」

ぷりぷりしながら筆を動かす。

「あと八つです」と、おでこが言った。口に出さずに数えていたらしい。

「はい、あとちょっと。待っててくださいね」

書き終えると、弓之助はそれを母親に見せにいった。しばらくして戻ってきたときには、番頭がついていた。

弓之助は井筒の旦那の甥っ子で、井筒家に養子に入る話もある。その旦那の口ぞえがあるから、岡っ引き風情《ふぜい》の政五郎が、大事な坊ちゃんを連れ出すことも許されるわけだが、番頭の目は油断なく光っていた。

「何分にもよろしくお願いいたしますよ」

あいわかりましたと、政五郎はどこまでも丁寧に引き受けた。

政五郎が先に立ち、子供が二人後《あと》についてくると、何だか政五郎が彼らを引っ張っているように見える。だから弓之助とおでこを先に行かせて、政五郎はついていくことにした。二人は存外足が速く、政五郎も歩きにくくはない。

「お話ししてもよございますか」と、弓之助が問うた。

「もちろんですよ、坊ちゃん」

「その〝坊ちゃん〟はご勘弁ください、親分」

「じゃあ、〝親分〟もご勘弁を」

弓之助は笑って、「では政五郎さん」と言った。「本当は、叔父上抜きでこんなこと

をするのはどうかと思うのですが、わたくし、考えれば考えるほどに、今日一日をぐずぐずしていることで後手に回ってはいけないと、胸が騒いで仕方がないのです。それに政五郎さんは叔父上の名代《みょうだい》が務まる方ですし」

「畏《おそ》れ多い仰せです。それで弓之助さんは、今日、何をなさろうというんです？　芋洗坂の杢太郎と、おはつって子から話を聞き出すだけではないんですか」

弓之助は、歩きながら両手をぐっと握った。おでこが彼の顔を見ている。

「杢太郎さんは子供好きです。お話が通じれば、きっと快く、おはつという女の子を匿《かくま》ってくれることでしょう。わたくしは、それを頼みたいのです」

江戸の町はすでに動き出している。通りに面した店は表戸を開け、さまざまな人びととすれ違う。深まる秋に空は青く澄み渡り、風が町の匂いを運んでくる。

そのなかを子供二人と歩きつつ、「匿う」という尖《とが》った言葉が政五郎を突いた。

「おはつちゃんが」と、弓之助は親しげに呼んだ。「首を絞められたのは、たぶん、脅されたのだと思います」

「脅す？」

同じように驚いたのか、おでこの歩調がちょっと乱れた。

「はい」弓之助はうなずく。「葵さんを手にかけた下手人《げしゅにん》に」

さすがに、政五郎は一歩だけ足を止めた。

「なるほど」歩き出しながら言った。「二つの首絞めが、そういうふうにつながりますか」

「わたくしはそう思います」

「つまり、おはつは葵さんが殺された日に、芋洗坂のお屋敷の近くで、誰かを見たのだということでござんすな？　誰かの顔を」

「はい、おっしゃるとおりです」

「しかし、幼い子ですよ。後から訊かれたとしても、その誰かの顔を覚えているものでござんしょうかね」

おでことはわけが違う。おはつは鄙《ひな》の小作人の子供だ。

「そうですね。ですから先ほどの〝見た〟は、〝会った〟とか〝出くわした〟と申しあげるべきでした。おはつちゃんの会ったその誰かは、おはつちゃんのよく知っている人物だったのですよ」

おでこが「ううう」と唸《うな》るような声を出した。政五郎は前を歩く彼の頭を軽く撫でた。

「おはつちゃんの方は、きっと、そこでその人物と会ったことの意味などわかっていないでしょう。ただ、その人物は懸念していた。万にひとつ、人殺しがあったあの日あの時、自分があの屋敷のそばにいたことを、何かの拍子におはつちゃんの口からし

やべられたら、たまりません。だから、脅しをかけたのです」

おでこが小さく「子盗り鬼？」と問うた。

「そうです。子盗り鬼の仕業《しわざ》に見せかけましてね」

うってつけの煙幕《えんまく》だ。杢太郎などは頭からそう思い込んでいる。

その一件以来、おはつは家から出なくなったという。杢太郎が何を問いかけても答えず、青くなっているという。

脅しが効いているのだ。

「とはいっても、脅しをかけた人物が、まったく安心しきっているはずはありません。本当なら、その場でおはつちゃんを殺してしまいたかったはずなのに、し遂げることができなかった。杢太郎さんたちがおはつちゃんを探し回っていたことが、邪魔になったのかもしれません。だから――」

今後も油断はできない、というのである。

「弓之助さんは、どうしてそのようなことを考えついたんですかい」と、政五郎は問いかけた。「井筒の旦那に伺いましたが、弓之助さんは、葵さんの件は、葵さんの側に殺される理由があったのではなく、何かの間違いでとっさに起こってしまったことではないか、とおっしゃったそうですね」

そうですす、そうですと、弓之助は力を込めて答えた。

「実は私《あたし》も、同じようなことを考えておりました。あれは存外、因縁は一切抜きの、押し込み物盗りのやり損ねじゃあなかったかと」

「それを伺って、わたくしも心強いです」弓之助はちらりと政五郎を振り仰いだ。

「ですから坊ちゃん――いえ弓之助さん、おはつのことを聞いたとき、私は、ふたつの事柄に関わりがないわけはなかろうが、どうにも上手くつながらねえなと思ったのです。流しの押し込みなら、子供に顔を見られた程度で、口ふさぎに舞い戻ったりするわけはございません。それより以前に、おはつがどこの誰の子かも知っちゃいねえ」

政五郎の思案は、そこで行き止まりに突き当たったままになっているのである。

「政五郎さん、わたくしには、今回のことは、〝通りモノ〟の仕業《しわざ》としか考えられないのです」

「通りモノ――でございますか」

政五郎には異論があった。

今まで何事もなく暮らしていた者が、あるとき唐突に乱心し、人を殺したり自分が死んだりする。珍しいことではあるがないことではない。それが通りモノだ。文字どおり、それは通って過ぎる。二度同じことを、同じ場所で繰り返すという例は、少なくとも政五郎は聞いたことがない。それに、葵を殺《あや》めた人物が通りモノにあたって物狂いのようになっていたのなら、もっと大きな騒ぎになっていたろう。いきなり屋敷

にあがりこみ、座敷で殺しているというのも解《げ》せない。

また、葵を訪ね、殺した時には乱心していて、その後正気に戻り、自分の顔をよく知っているおはつに見られたことを思い出し、口封じを思い立った——というのは、さらにありそうにない話だ。通りモノにあたった者は、自分を失ってわけがわからなくなっているので、正気に戻った後は、乱心しているときに自分が何をやらかしたのかさえ覚えていないものなのだ。

政五郎がその疑問を述べると、弓之助は答える前に、歩調を緩めて大きく息を吸い込んだ。ゆっくりと吐き出す。

「ですから政五郎さん、葵さんを殺した〝通りモノ〟は、わたくしたちが普通に知っている〝通りモノ〟とは、少々違うのではないかと」

弓之助は言葉を選び、自分でも自分の考えていることを上手く言えなくて、歯がゆく思っているようだ。

「ただ、それは、下手人が葵さんと共に座敷にいるときに、急に起こった。そして葵さんを手にかけてしまった。我に返って、あわてて逃げ出す。そのとき、おはつちゃんに顔を見られた——」

しばらくのあいだ、三人は黙ってひたひたと歩いた。とうに永代橋《えいたいばし》を渡りきり、ここから左に行けば八丁堀の組屋敷だ。

「いずれにしろ、下手人は芋洗坂の屋敷のそばにいるに違いないのです。今もいるはずです。それだけは、はっきり申し上げていいと思います」

声に張りを取り戻し、弓之助は言い切った。

品川宿の美輪屋には美人で商い上手の売り子がいて、平四郎はすっかり嬉しくなってしまった。振り分け荷物には入りきらないほどに、種々の佃煮を買い込んだ。旅籠《はたご》が軒を連ねているのはもちろんのことだが、採りたての海のものを焼いたり煮たりして供する海荘《はまざしき》もたくさんあり、そのなかの一軒を選んで腰掛け、小平次と握り飯を食った。

お徳の握り飯には、道中を行くことを考えてか、大きな梅干が入っていた。黄色い沢庵《たくあん》が添えられて、贅沢《ぜいたく》にも海苔が真っ黒に巻いてある。

せっかくだからと、烏賊《いか》の浜干しの焼いたのを少しとったが、酒は我慢した。平四郎は、呑むと途端に何をするのも面倒になる性質《たち》だ。ここで聞こし召《め》してしまっては、川崎までたどりつけない。

品川宿は日本橋を出て最初の宿場だから、街道宿場町本来の役割の他に、遊興地としての顔も持っている。江戸者にとっては、むしろそちらの意味合いの方が大きい。それでもまだこの時刻のことだから、旅籠の客引きも出ていないし、酔客《すいきゃく》もいない。

行きかう人びとは大勢いるが、喧騒《けんそう》はあっても涼やかな心地がした。

握り飯を食いながら、小平次が珍しく思い出話をした。子供のころ、平四郎の父親の中間をしていた親父に連れられてここを訪れ、さざえのつぼ焼きを食わせてもらったことがあるという。大森海岸に潮干《しおひ》狩《が》りに来たこともあったという。

「へえ、弥平次《やへいじ》は子《こ》煩悩《ぼんのう》だったんだな」

平四郎も覚えているが、小平次の親父、弥平次はたいそうな酒好きだった、もっとも、呑んで乱れることはなかった。酒はあんまりいけないが、女には目がなかった平四郎の父親は、女のところに通っては酔いつぶれ、彼に背負ってもらって帰宅したことも再三ではなかった。

父親が死んだとき、跡目を取りたくない平四郎は、父がどこかに外腹《ほかばら》の男の子をこしらえてはいないかと、血眼《ちまなこ》で探し回った。あれほど女と遊んでいたのだ。一人ぐらいいたって不思議はない、きっといるはずだと思ったのだ。

その折には弥平次にも、心あたりの女はいないか、教えろとしつこく食い下がったものだ。平四郎の父が死ぬ少し前に中気で倒れ、身体が半分きかなくなっていた弥平次は、呂律《ろれつ》の回らない口で、探しても誰もござりませんからおよしなさいと答えた。平四郎は、彼が親父殿の恥を隠しているのだと思ったから、俺は今さら親父のことで何を聞かされても怒りはせんから教えてくれと迫った。

するとと弥平次はひくひくと笑った。

――旦那は女好きではござったですが、お家を乱すようなことはなさりませんでした。井筒の家の外に、お子はおらなんだ。

乱すほどの家柄か、大げさなと、平四郎は思ったものだ。

湊屋総右衛門には、家を乱すという不安はないのだろうか。ほうぼうに子をなし、それをみんな自分の胤《たね》と認めて養っているのだ。自分が死んだら、あるいは病や怪我で倒れて動けなくなったら、それらの子の誰かが火の手をあげて、自分の取り分を主張してくるかもしれないという懸念を抱いたことはないのだろうか。

世間的には順当に、つつがなく宗一郎に身代を継がせたとしても、彼が自分の子であるかどうかはわからない。血がつながっているかいないか、半々の賭けだ。もともとそんな状態なのだから、外腹の子が乗り込んできて、どんな騒ぎを起こしたってかまわないぐらいに、鼻先で考えているのだろうか。それにしたって次男の宗次郎、そちらは間違いなく総右衛門の息子も控えているのだから、揉《も》め事はないに越したことがなかろうに。

あの男の腹は、とことん読めない。湊屋が大事なのか大事でないのか。女たちや子らが愛しいのか愛しくないのか。

――訊いたって、どうせはぐらかされるだけだろうしな。

「おや、駕籠《かご》が」指についた飯粒を丁寧に舐《な》め取りながら、小平次が言った。

二つの駕籠が前後して、宿場町のなかを抜けてゆく。えいほ、えいほの掛け声にあわせて揺れる、前の駕籠の簾《すだれ》は下りているが、後ろの簾は跳ね上げてあり、抜けるように色白の、水色の襟掛《えりか》けも婀娜《あだ》っぽい女が乗り込んでいた。景色が見たいのか外の風がほしいのか、はたまた道行く人びとに自分の色香を見せつけたいのか。女の口元にはうっすらと、満足げな笑みが浮かんでいた。

「あの女、堅気《かたぎ》じゃねえな」と、平四郎は言った。「前を行く駕籠には男が乗ってるんだろうが、亭主じゃあるめえ」

だからこそたまの遠出に、女は誇らしげに簾を上げている。男は駕籠に潜んでいる。

「葵も」

駕籠を見送って、平四郎は呟《つぶや》いた。

「総右衛門と外遊びをするときは、あんなふうにしていたんじゃねえかな」

お六は、二人がしばしば連れ立って出かけていたと言っていた。

どうでしょう、と小平次が丸い頭をちょっと傾《かし》げた。

「上方ではいざ知らず、こちらへ戻ってきてからは、もっとご用心なすっていたんじゃありませんかねえ」

何よりもおふじの目を恐れる二人だ。そういう立場に、嫌気が差したことだってあったに違いない。

お六の書き物は、一生懸命に書いてあったが、いかんせん切れ切れで、とりとめないことばかりだった。これこれこういうことがあったというのも、それがいつのことなのかわからない。順番どおりに書いてないのだ。思い出すそばから、とにかく細大もらさず書こうという誠意は伝わってきたが、残念ながら参考にはなりそうにない。

ただひとつだけ、平四郎の目を惹《ひ》いた記述があった。幻術一座を使って孫八を退治した後、葵がこんなことを言ったというのだ。

——あの一座の者たちには、前々からひと働きしてもらう約束があった。

——ああいうのを見せて騙《だま》したいお人があったものだから。

誰のことだろう。金と手間をかけ、葵は誰を騙そうとしていたのだろう。久兵衛なら知っているはずだ。ぜひ問いただしてみたい。

平四郎はぱんと両手で膝を叩いた。「さて、行くか」

政五郎と子供らは、まず芋洗坂の自身番を訪ねた。杢太郎はおらず、鉢巻きの八助《はちすけ》親分がいた。

佐伯錠之介を通して話はついているから、鉢巻きの八助は政五郎を粗略《そりやく》に扱いはし

なかった。ただ、子連れの岡っ引きを面白そうに笑って、

「本所深川方は、お役人も十手持ちも、揃って子守好きでいなさるようだねえ」とからかった。

杢太郎は法春院にいるという。それを聞いて、政五郎はつと濃い眉を持ち上げた。

「先《せん》に、その寺子屋に通っていたおはつという子がさらわれて、首に絞められた痕《あと》をつけて戻ってきたという騒ぎがあったそうでござんすね。それきり、おはつは怖がって家を出なくなったそうで」

「よく知ってるね」

「井筒の旦那が杢太郎さんから聞いたそうでして。杢太郎さんは、えらく案じているとか。ひょっとして、おはつが寺子屋へ通うのに、くっついて行ってるんですか」

違う違うと八助は言った。「あいつはもとから、暇を見つけちゃあ法春院へ通ってるんだ。まるっきりの無筆《むひつ》だったからさ。それでようよう自分の名前は書けるし、算《そろ》盤《ばん》も少しは弾けるようになった」

おはつは今も家から外に出ず、怯えた様子もとれないままだという。

「鉢巻きの親分さんは、おはつの一件をどうお考えで」

どうお考えと気色《けしき》ばまれてもと、自身番の狭い座敷にどっかり腰をおろして、鉢巻きの親分は煙管《キセル》をくわえる。

「おはつが見つかったのは例の貸し屋敷でしょう。半月のあいだに、同じ場所で二件の首絞めだ」

「たまたまってことじゃあねえのか」

ぷかりと煙を吐く。土間にいる弓之助とおでこのところまで紫煙が流れてゆく。

「親分さんの縄張《しま》じゃどうか知らねえが、このあたりは藪《やぶ》も森もわさわさあるからな。どうかすると、女子供をそのなかに引っ張り込んで、いたずらしようなんていう不心得者が出る。おはつに悪さをしたのもその手の輩《やから》だろうよ。貸し屋敷のご新造《しんぞう》さんのこととは関わりねえよ」

物事は見る方向によって形を変えるものだが、鄙《ひな》びた土地柄を勘定に入れても、政五郎にはその説に得心《とくしん》がいかなかった。

「佐伯様からよくよく言いつかってるから、邪魔立てはしませんよ。まあ、お好きにやんなさい」

体《てい》よく番屋を追い出されて、政五郎たちは法春院に向かった。

歩き始めると、それまで呆然と空を見ていた弓之助が、不意に呟いた。

「煙草」

何ですか弓之助さんと、政五郎は訊いた。弓之助はまだ呆然としている。

「坊ちゃん、どうかなすったんで」

ぱちりとまばたきをして、弓之助の目が晴れた。「いえ、煙草ということもあるなと思ったんです」

「何がです？」

「葵さんの座敷に残っていた、佳《い》い香りですよ。煙草盆があったというでしょう？」

葵は煙草呑みだが、あのころは風邪をひいていたのでやめていた。が、座敷には煙草盆が出ていたという。

「来客に勧めたのかもしれません。その香りが残っていた――」

「煙草の香り」と、おでこが言う。「匂い袋のように匂う？」

疑念があるのか、ちんくしゃな顔になっている。弓之助は彼の肩をゆすった。

「そうですよ。ほら、どこかで似たような昔話を聞いたじゃありませんか。煙草好きの金貸しが殺されて、着物には好みの煙草の匂いがしみついていた。だのに、長火鉢の灰に落とされていた煙草からは、違う匂いがした」

おでこの両目が鼻の方にぐっと近寄る。覚えたことを引き寄せているのだ。

「明神下《みょうじんした》の金貸し殺し」と、書いたものを読むように言った。「下手人は金貸しの甥の大工。得物《えもの》は千枚通し」

「そうそう、そうでした」

眺めは微笑《ほほえ》ましいが話は物騒だ。政五郎は腕組みをした。

「しかし、匂い袋のように香る煙草なんぞ、あるもんでしょうかね。ひとつ調べてみますか」

「お願いします」

弓之助はしゃんと元気を取り戻した。法春院はあちらですねと、小走りになる。

古刹《こさつ》でもない、名刹《めいさつ》でもない、どこにでもある古寺だ。そこだけ造りが新しく、妙に立派な鐘つき堂が目立つが、これはこのあたりの時の鐘を兼ねているからに違いない。

法春院はそういう寺だった。本堂の方から出てきた小僧に、手習い所を尋ねると、庫裏《くり》の裏の離れだと教えてくれた。三人は小砂利を踏みしめて本堂の脇を通った。

離れというより、小屋だった。元は寺男の住まいでもあったかもしれない。板葺《いたぶ》きの屋根に、重石《おもし》がぽこぽこと載せてある。窓は蔀戸《しとみど》で、手ごろな薪《まき》ざっぽうでつっかえをしてあった。

元気のいい子供たちの声が唱和《しょうわ》する。

「ひとつに　ちゅうこう
ふたつに　きんべん
はやね　はやおき

よくまなび　よくはたらき
ひとには　しんせつ
ものを　だいじに」

弓之助がにっこりと笑った。「良い教えですね」

「弓之助さんも、佐々木先生の塾でこのようなことを習うんですか」

「もう少し漢文が多いです」

さもありなんと、政五郎は思った。

ややあって、いっせいに「はあい」と応える声がしたかと思うと、子供たちがどっと表に出てきた。男女混じって、ざっと二十人ほどもいるだろうか。あの小屋のなかでは、肘《ひじ》と肘がくっつくほどの混み具合であったに違いない。皆、商家か農家の子の身なりだ。武家の子は見当たらない。

わあわあきゃあきゃあ騒ぎながら出てゆく子供たちの流れの真っ只中に、政五郎は立っていた。子供らは彼には目もくれないが、弓之助とおでこを目ざとく見つけて、足を緩めたり通り過ぎてから振り返ったりする。一人の女の子など、目玉が落っこちそうな顔をして弓之助を見つめている。いったん走り過ぎてから、その子を急《せ》かしに戻った女の子も、弓之助をちらりと見ると釘付けになってしまった。二人ともぽかん

と口を開いている。いやはや罪つくりだ。

子供たちにちょっと遅れて、小屋の戸口をくぐり、杢太郎がのっそりと出てきた。こちらで声をかけるより早く、彼は弓之助がそこにいることに気付いた。

「なんだ、弓太郎じゃねえか」

「弓太郎？」政五郎とおでこは同時におうむ返しに言った。

「わたくしはここではその名前で」

言うなり、弓之助は子犬のようにころころと杢太郎に駆け寄った。首っ玉に飛びつかんばかりである。

「わぁい、杢太郎の親分さん！」

「おいおい、俺は親分じゃねえって何度言ったらわかるんだよう」

杢太郎はでれでれである。政五郎はちらりと後ろを見た。さっきの女の子が二人、まだ魅入られたように突っ立っている。小腰をかがめ、膝に手を置いて、優しく声をかけた。

「お嬢ちゃんたち、早くお帰りよ」

二人は水をかけられたようにはっと目覚めた。

「ねえおじさん」

杢太郎にじゃれついている弓之助をさして、一人が訊いた。

「あの子、お人形？」

政五郎は笑った。「いいや、お嬢ちゃんたちと同じ子供だよ」

「すご〜い、きれいな顔」と、二人は歌った。次に、その目が間近にいたおでこに移る。

「すご〜い、おでこ！」

言い放ち、急に巻きがほどけて、笑いさざめきながら駆け去って行く。政五郎はおでこを見おろした。

「おまえも割りを食うね」

おでこはけろりとしている「あい、慣れっこでござんす」

まあ、お客様ですかと、きれいな女の声がした。政五郎は寺子屋の戸口へ目を向けた。

歳のころは二十歳をいくつか出たところだろうか。鶯《うぐいす》色の小袖《こそで》にまだら模様の帯。姿勢のいい立ち姿で、ほっそりした首の上に小さな顔が乗っている。顎《あご》が尖り、鼻も細い。さっきの女の子の言葉ではないが、こちらも華奢《きゃしゃ》な紙人形さながらの美女だ。

寺子屋の晴香先生である。目があったので、政五郎は慇懃《いんぎん》に頭を下げた。

政五郎が十手持ちで、御用の向きで杢太郎に会いに来たとわかると、晴香先生はひどく心配そうな顔になった。それはそれはご苦労様でございますと、あらためて頭を下げ、

「内密のお話があるのでしたら、どうぞこの小屋をお使いくださいまし」

熱心に勧める。政五郎は弓之助の顔を見た。彼はちょっとうなずき、お言葉に甘えさせていただきましょうよ、親分と、明るく返事をした。

一同は小屋のなかに入った。長机がずらりと並び、板張りの壁には、子供たちの手習いが貼ってある。ひと抱えもある大きな算盤が壁にかけてあるのは、これを使って先生が子供たちに教えるのだろう。さっき子供たちが唱和していた一連の言葉は、流麗な手筋で箇条書きにして、正面の高いところに掲げてあった。

「手習いの終わりに、皆で声を揃えて読み上げるのです」

手ずからお茶を出してくれながら、晴香先生が説明した。

「あちらのあれは何ですか」

同じ手筋で、だから晴香先生が書いたものだろう、ぐっと小さな張り紙がある。おでこが声に出して読んだ。

「ひとつ、顔のよしあし。ひとつ、着物のよしあし。ひとつ、家のくらしむき。ひとつ、わがままなふるまい。ひとつ、けんか。ひとつ、たんき。ひとつ、そしり口。ひ

とつ、つげぐち。ひとつ、むだぐち。ひとつ、ないしょ話」

「よくできました」晴香先生が笑顔でおでこを褒《ほ》めた。「子供たちの、してはいけないことを数え上げたものです」

政五郎は心中でちょっと笑った。さっきの女の子二人は、教えを破ったわけだ。顔のよしあしの引き比べ。

「ここでは男の子も女の子も一緒に教えておられますな」

「はい。本当ならば別々にするのが望ましいのですが、男女七歳にしてと論語を語るような堅苦しい寺子屋でもなし、ここらの子供は男の子も女の子も変わりなく家の手伝いをしておりますし」

「お武家の子は来ませんしね」と、李太郎が口を添えた。「また別の寺子屋があるんです。晴香先生が来る前は、商人や農家の子もそっちに通ってたんですが、武家の子がえばるんで、なにしろ喧嘩が絶えなくってどうにもなりませんで。だから先生がここで寺子屋を開いてくだすって、みんな有難く思ってます」

「何年ほどになりますか」

「さあ、もう五年ほどになりますかしら」晴香先生は確かめるように李太郎の顔を見た。李太郎がうなずきを返す。そうすると、俺が見立てたよりこの先生はもう少し年上かもしれないと、政五郎は思った。

「先生はここにお住まいですか」

「いえいえ、本来お寺は女人禁制でございますから、教えに通っているだけです」

それは政五郎も承知だ。だからわざわざ尋ねたのだった。

晴香先生は察しが良かった。「自身番の近くに間借りして住んでおります。ただ、そこでは手狭に過ぎて寺子屋は開けません。この法春院は、わたくしの家の親戚筋が檀家総代《だんかそうだい》をしておりまして、その伝手《つて》で、この離れを借り受けることができました」

「そうすると先生は親元を離れておいでなのですな。ご立派だ」

晴香先生は微笑んだ。今度は言葉を続けずに。何か事情があるのだなと、政五郎は察し返した。

「ねえ晴香先生、先生は、あの子盗り鬼のお屋敷のなかに入ったことがあるんですか？」

唐突だが、ちっともそれを感じさせず、邪気のない様子で弓之助が問いかけた。返事をねだるような甘い声だ。

「子盗り鬼の、あのお屋敷ですか。先に、一人住まいのご新造さんが——」

晴香先生は言いにくそうに口ごもる。政五郎はうなずいた。

「その後、先生の教え子でもあるおはつという子供が行方知れずになって、ようよう見つかったのもその屋敷でしたな」

「それについてお調べに、わざわざ本所からおいでになったのですか？」

当惑の色が、晴香先生の目に浮かぶ。当たり前だ。差配《さはい》違いも大違いなのだから。

と、弓之助がまた甘ったるい声を出した。

「へえ、親分さん。そうだったの？　違うでしょ。杢太郎の親分には、うちの兄さんのことで会いに来たんだよね？」

上手くそらすものである。うちの兄さんとは誰だろう。佐吉のことか。

「そうなんですよ。私が伺ったのは、まったく別件で。ただ、おはつという女の子のことを聞きかじったものですからね、つい。まったく剣呑《けんのん》な屋敷もあったものですな」

晴香先生は身体を泳がせるようにして大きくうなずいた。「子供たちも怖がっております。わたくしも、けっして近づかないように言い聞かせておりますわ」

「お祓《はら》いをしたらどうかしら」と、弓之助が言う。ぽんと両足を投げ出して、茶目っ気たっぷりだ。「強いお坊さんに来てもらうんです。修験者でもいいかしら」

「そうですねえ」

「それとも杢太郎の親分さん、退治してくれる？」

杢太郎は大きな肩をすくめた。「俺じゃあ駄目だ。鬼やもののけにはかなわねえよ」

「そんなことないよう、強いんだもの。おでこさん、李太郎の親分さんはね、こぉんなに大きな刃物を持った押し込みを、素手で叩き伏せたことがあるんだよう」

弓太郎こと弓之助は、李太郎からあれこれ手柄話を聞いているらしい。身振り手振りつきで次から次へ、溢れるように武勇伝が出てくる。おでこが目と目を寄せて（そんなことまで覚えようとしているのだ）聞いているあいだ、何度となく李太郎は弓之助の語りを止めようとして、赤くなったり青くなったり汗をかいたり大忙しだ。だいぶ話をふくらませてござるなと、政五郎は腹の中で苦笑した。

弓之助は話も上手い。晴香先生は笑ったり驚いたり、大いに楽しんだようだった。頃合を見て、政五郎は割って入った。

「こりゃ、思わず長《なが》っ尻《ちり》になりました。李太郎さんを迎えに来ただけなのに、まことに図々しいことでお恥ずかしい。先生、ここらで私らは失礼させていただきます」

弓之助の話術に翻弄《ほんろう》されていた李太郎も、ようやく我に返ったようだ。「そうそう、まだ肝心のことは何も聞いていなかった。すンません」

晴香先生は、お話ならここでと引き止めてくれたが、政五郎はやんわりと押し切って、一同は法春院を後にした。不得要領の顔でくっついてきた李太郎を尻目に、弓之助は政五郎に近寄ってきて、ささやいた。

「晴香先生を疑うわけではありませんが、蟻《あり》の一穴《いっけつ》とも申します。おはつちゃんを匿

うことは、念には念を入れて隠しておきませんと」

そして、さらに小声で付け足した。

「晴香先生からは、匂い袋の香りしかしませんでしたね」

「ずっと嗅《か》いでいたんですかい？」

「政五郎さんだって」

政五郎はうなずき、杢太郎に向き直った。彼は大柄だが、政五郎も縦横に大きいので、目と目の高さがちょうど合う。

「実はな、杢太郎さん」と、切り出した。

十三

品川宿は街道に沿って長く、軒を連ねる店も数多い。物見遊山気分がどうしてもとれない平四郎と小平次は、ここを通り抜けるだけでずいぶん時を喰ってしまった。

宿場を出て歩き始めると、ほどなくして涙橋《なみだばし》にさしかかる。ここは鈴ヶ森の刑場に送られる罪人が、その家族らと別れを惜しむ場所として知られている。

橋を渡りながら、平四郎はおみねのことを考えた。これまで平四郎は、裁きを受けて刑場送りになるような大罪人など、ほとんど捕えたことがなかった。せいぜい急度《きっと》

叱《しか》りか百叩き、江戸処払《ところばら》いぐらいの小悪人しか扱ったことがないのだ。そのなかで、おみねの情夫《いろ》の晋一は異色の存在である。政五郎は首尾よくあの女の居所を突き止めたろうか。おみねが見つかったら、お徳の奴め、かつておくめを面倒みてやったように、手前ひとりで全部抱え込んで、世話をしてやるつもりでいるのだろうか——

平四郎と同じことを考えていたのか、一歩一歩踏みしめるようにして涙橋を渡りながら、小平次が呟いた。

「おみねさんは、泣き泣きここで情夫と別れる気など、毛頭ないでございましょう」

「どうしてそう思う？」

「あの女は、自分でこうと決めたことなら、何だってやり遂げられると思う口です。晋一が罪を受けたなら、破牢《はろう》を企てて助け出す。想う男をみすみす刑場送りになどさせてたまるか、あたしがさせないと思っていることでしょうよ」

「上手《うま》く行くと思うかね？」

小平次はにっこり笑った。「破牢は易しい企てではございませんよね、旦那」

「うん」

平四郎も以前、おみねが晋一を牢から助け出そうと、手持ちの金を餌に助っ人を募って、破落戸《ごろつき》どものあいだを渡り歩く様を想像したことがある。これまで、己の頭と

欲で、他人様《ひとさま》に勝《まさ》ったことしかないおみねは、そこで初めてしてやられる。そして無一文のぼろぼろになる。そんな想像をした。

それぞれの思いに沈んでしまい、六郷《ろくごう》の渡しのところまでは、黙って歩いた。渡し舟は満杯でたいそう賑やかで、それで平四郎も小平次もようやく気が晴れた。簡素な旅支度をしていても、誰の目にも平四郎が町方役人であるとわかるらしく、お役目ご苦労様にございます、旦那はどちらまでと、相客たちに忙《せわ》しく尋ねられる。なぁに、この近在へちょっと野暮用だと応じ、相客たちの行き先を訊くと、やはりお大師様詣でが多い。行商人たちは神奈川宿や保土ヶ谷宿まで行くという。お伊勢様参りの振り出しだという一行もいた。

久兵衛は手紙で、六郷の渡しを降りたら、大師河原《たいしがわら》の道を海の方へ海の方へ進んでくださいと書いてきた。川崎大師詣での人びともこの道を通る。途中までは一緒だ。が、半里ばかり進んだところに馬頭《ばとう》観音のお堂がある。そこからは右の脇道に入れ、という。

言われたとおりに細い脇道に入ると、道連れはいなくなった。また小平次と二人道中、左右は田圃《たんぼ》と点在する森の眺めになる。が、風のなかには潮の香りがする。

この脇道なら、道中で出会う近在の者の誰に尋ねても、湊屋の別邸と言えば知っているから教えてくれると、久兵衛は書いている。磯が見えるところまで行ってしまっ

ては行き過ぎで、風景のなかに田畑が減り、砂浜沿いに防風林が見えてきたら、砂地の緩やかな土手を右手に登り、木立のなかを抜ける。出入の商人や馬力屋が通るので、自然と道ができているから間違えようがない。

——本来、六郷の渡しまで手前がお迎えにあがるべきなのでございますが、このところ宗次郎様のご容態が芳《かんば》しくなく、屋敷を空けることができません。非礼の段、深くお詫び申し上げます。

「気鬱《きうつ》のぶらぶら病ってのは、そもどんな病なんだろう？」

砂地の緩い斜面を登りながら、平四郎は言った。「重くなると命にかかわるわけか？」

「そのように聞きますね」お徳の重箱を背負い、小平次はすいすいと歩く。「ただのぶらぶら病なら、そのうち治ります。気鬱となると厄介で」

「それにしたって、気がふさぐだけの病なんだろう？」

「飯も食わず、眠れず、呼吸《いき》をするのも大儀で、そのうちに、生きていることが辛くなってくる。そういう病だそうでございますよ」

「吉原《なか》でぱあっと遊ばせるとか、それこそ伊勢参りに連れ出すとかさ、派手なことをさせれば治るんじゃねえのか」

「本人がそれを楽しい気散じと感じないのだから、どんな趣向をしたって無駄だそう

でございますね。とにかく何も思い煩《わずら》わせず、のんびりさせるのがいちばんとか」

「しち面倒くさい病だなぁ」

もっとも、しょっちゅうのんびりしている俺には、そんなことは言えた義理がないと思い直し、頭をかきかき歩き続けた。

「ああ、このお屋敷でございますね」

ひと足先を行き、立ち止まった小平次が、灰色の瓦屋根を仰いで大らかな声をあげた。

「立派な構えでございますよ、旦那」

平四郎は小平次に並び、ふうと息をついた。

屋敷は大きく三つの棟に分かれているようだ。こっち側に張り出しているのは北棟、真ん中が母屋で、南棟が海を見おろす格好になるはずだ。屋敷のぐるりを囲むのは無粋な塀ではなく、この季節にも、くすんだ風合いながらみっしりと青い葉をつけている生け垣だ。

平四郎たちが登ってきた小道は、そのまま半円を描くようにして生け垣の前を横切り、母屋の方へと通じている。歩いてゆくと、まだ生け垣の切れ間が見えないうちに、

「おお、お着きだ、お着きだ」

と久兵衛の声がして、それを追いかけるように本人が生け垣の向こうから姿を見せた。きっちり羽織を着込んでいる。

「遠いところをありがとうございました。お疲れでしょう。ささ、お荷物を」

品川宿で寄り道三昧《ざんまい》をした割には、遅れなくて済んだ。陽は中天、お徳の重箱の中身がちょうど昼飯になる按配《あんばい》だ。

「やあ、好いところだな」

平四郎は久兵衛に笑いかけた。


座敷のなかにも潮の香りがした。

それもそのはず、この別邸は海に面した蹴上《けあげ》の斜面の上にあり、平四郎たちが通された十畳のこの座敷の縁側からは、庭越しに海を見おろすことができるのだ。

だいたいそんなふうだろうと、平四郎が見当をつけていたよりも、もっともっと海が近い。ただこちらの位置が高く、防風林も立ち並んでいるので、磯は見えない。秋の陽を受けてきらきら光る海面に釣り船が浮かんでいるのを、木立の間から眺めるのだ。

食い物については抜かりのない平四郎のことだから、事前にしっかり、久兵衛に知らせておいた。こちらでどっさり土産を持って行くので、昼飯の支度はしないように

と。それでも念には念を入れ、挨拶もそこそこに小平次の背中から荷を降ろさせると、久兵衛の前で広げてみせた。

「そら、立派なもんだろう」

三段重ねの重箱に、色とりどりのお菜《かず》が詰まっている。久兵衛は目を瞠《みは》った。そしてその顔のまま平四郎を見上げた。

「これは……」

「どこであつらえたと思う？　平清《ひらせい》じゃねえよ。伊豆栄《いずえい》でもねえよ。橋善《はしぜん》でも八百善《やおぜん》でもねえんだよ」

久兵衛を驚かせるのはきっと楽しいだろうと思っていたが、これほどまでに嬉しいとは。平四郎はくつくつと、小鍋が煮えるみたいに笑った。

「わかりません……。わかりませんが」久兵衛は両手を振り絞る。「しかし井筒様、井筒様のそのお顔を見ていると推察がつくようなつかないような」

「どっちだはっきりしろ」

「思い切って申しましょう。もしや、お徳でございますか」

縁側の沓脱石《くつぬぎいし》のそばに膝をついたまま、小平次が「うへえ」と畏《おそ》れ入《い》った。「久兵衛さんにかかっちゃ、今だって何でもお見通しなんですねえ」

平四郎はぷしゅうと気が抜けた。「何だ、わかっちまったか」

今度は久兵衛が嬉しそうに笑み崩れる。

「では中《あた》りでございますか。これはみんな、お徳がこしらえたのですね」

「うん。腕を上げたろ。しかし何でわかったんだ？」

「この煮卵が」久兵衛は二段目の重箱の隅を指差した。縦に切った煮卵が並んでいる。

「懐かしい色艶です。見ているだけで味を思い出しますよ。いえ、でも、推量のいちばんの手がかりは、やっぱり井筒様のそのお顔でございました」

平四郎は長い顎を撫でた。そんなにはっきり表れてたか？

「お徳は達者なのでございますね」

重箱を見つめ、久兵衛は心なしか涙ぐんでいるようだ。平四郎は照れくさくなってきた。

「うん。老いてますます盛んという具合だな」

「老いてはまだ早うございましょう。叱られますよ」

「くわばら、くわばらだ。あいつはな、商売の手を広げてお菜屋を始めたんだよ。屋形船ぐらいなら、仕出しもやれるんだ」

事の次第をかいつまんで、久兵衛に話して聞かせてやった。いちいちうなずきながら聞き入っていた久兵衛は、しかし、ちょっと眉を動かして一度だけ聞き返した。

「その彦一という料理人でございますが」

「なかなか良い奴だよ」

「本当に石和屋《いさわや》の庖丁人でございましょうかね。身元をお確かめになりましたか」

平四郎は大声で笑い、小平次はまたうへえうへえを連発する。

「差配人、骨になるまで差配人だな。心配するな。彦一の人物に間違いはねえから」

どれほど恥ずかしがろうと照れようと、久兵衛はもう頬が赤らむような歳ではない。バツが悪そうに笑うだけである。

「お恥ずかしい話です。お徳にとって、あまりにもうってつけの助っ人が、あまりにもうってつけの頃合で現れたようで、ついつい疑ってしまいました」

「気持ちはわかるさ。でも、世間にはそういう良いめぐり合わせもあるんだな」

お徳にも教えてやりたかったよ——平四郎がそう言い出すと、撫でるように愛《め》でるように重箱の中身を検分していた久兵衛が、つと目をしばたたいた。

「これは他の誰でもねえ、久兵衛さんに食わせるんだよってな」

久兵衛がまた泣きそうになる。

「ありがたいことでございます」

平四郎はひととき、照れくさい沈黙を味わった。

まばたきして涙を払い、久兵衛は向き直る。

「ところで、井筒様がお越しならば、本来、真っ先にご挨拶にあがるべき宗次郎様なのでございますが」

「何だよ、ご挨拶なんていいんだよ。病人なんだろ。こっちが勝手に静養の邪魔をしに来たんだ。気にするな、気にするな」

「はあ、申し訳ございません」

「よくねえのかい？」

「近頃はまた一段と……」

久兵衛は、皺顔《しわがお》の全体で憂《うれ》いている。

「誰にも会いたくない、飯も要らないとおっしゃいまして、手前でさえおそばに寄ることができない日もございます」

「そりゃ困ったな」

「重ね重ね申し訳ございません。日にち薬で治るのを待つのがいちばんなのでございましょうから、手前もしっかりお世話をするつもりでございます」

そして、ぱっと顔を明るくした。

「それでは、このお重を真ん中に据えて、お昼食《ちゅうじき》のご膳をさしあげたく思います」

手を打って人を呼ぶ。はぁいと声がして、足音も軽く女中が現れた。よく日焼けした若い女だ。これも海の近くでとれたからか。久兵衛はてきぱきと女中に支度を言い

つけ、重箱をいったん下げさせた。どうやら食事はまた別の部屋でとることになるらしい。いったいいくつ座敷があるのだろう。

「お膳の支度を整えますあいだに、早速ですが井筒様、孫八にお会いになりますか」

今日の目的のひとつはそれである。

「呼んでくれるかい？」

「はい、只今すぐに」

久兵衛は音がしそうなほどきびきびと立ち上がり、座敷を出て行った。芋洗坂の屋敷で二度、一度は葵の亡骸《なきがら》を前に、二度目は総右衛門と一緒に、顔を合わせたときのこの人は、枯れ切ってしまったように老けて生気を失っていた。が、今は、昔日《せきじつ》の鉄瓶長屋差配人の面影を取り戻している。潮の匂いと海の色のおかげで静養が成ったというわけではなく、世話を焼く誰かがそばにいて、仕切るべき場所があることが、久兵衛にとっては何よりの滋養の素なのであろう。

ほどなく、久兵衛は庭の方から姿を現した。小平次が立ち上がって脇に寄る。

久兵衛は、痩せこけた男を一人伴っていた。野良着姿で地足袋《じたび》を履いている。ほとんど屈んでいるような姿勢に背中を丸め、足を引きずり、久兵衛に肩を抱かれながらも、その歩みは鈍い。

「これが孫八でございます」

久兵衛は言って、孫八の耳元に何か囁いた。孫八の方は、何を言われているか意味がわからないという顔つきで、久兵衛を見上げてぼうっとしている。

「江戸からおいでになった八丁堀の旦那だよ。ご挨拶をしないか」

ううとか、ううんとか、孫八は喉声で言った。のろのろと首をめぐらせて平四郎の方を見ると、丸まった背中をなお沈めるようにして頭を下げる。

「孫八でごぜえます」

「当家の下男です」久兵衛は彼の背中に手を乗せたまま言う。「庭の手入れも孫八がしております。そうだな、孫八」

「へぇい」丸い背中がまた上下する。

平四郎はちょっと口がきけなかった。小平次を見ると、彼もぽかんとしている。

孫八の髷《まげ》は真っ白だった。お六は彼がいくつだと言っていたろう？　総白髪になるほどの歳ではないはずだ。

「ちゃんと顔を上げてご挨拶をするのだよ」

久兵衛に促され、孫八は平四郎の方に顔を向けようとする。頭がぐらぐらと揺れる。

孫八が正面を向き、やっと顔かたちがわかった。緩《ゆる》んでいる——というのが平四郎のとっさに思ったことだ。目鼻と口、眉、頰の張り。それらを束ねて司《つかさど》るものが緩

んでいる。下手な人形使いが、人形を持ち損ねておかしな動きをさせてしまうように、孫八の右目はこちらを向き、左目はあさってへ泳ぎ、顎は下がり、鼻には皺が浮く。頰はだれる。

「わざわざぁ、遠くから、お役目ご苦労様にございます」

どろりとした声だった。

「おまえも——ご苦労だな」

平四郎は手の甲で、思わず額の汗を拭いていた。

「久兵衛の言いつけをよく聞いて、精勤するのだぞ」

丁稚《でっち》小僧に言い聞かせるような台詞《せりふ》だ。しかし孫八はまた「へぇい」と間延びした返事を寄越し、律儀にお辞儀をして丸まった。

「さ、もういいぞ。仕事に戻れ」

久兵衛が優しい手つきで彼の背中を押した。孫八はのろりと向きを変え、やはり足を引きずる独特の歩き方で、庭から立ち去った。

「うへえ」と、小平次が呻《うめ》いた。

「あのような様子でございまして」

首をよじって孫八の背中を見送りながら、久兵衛が言った。

「芋洗坂で幻術を見せられて、いきなりあんなふうになっちまったのか？」

「いえ、さすがにそうではありません。幻術に騙された後は、泣いたり暴れたり怯えたり、ひとしきり騒いだ挙句、魂を抜かれたようになってしまいましたが、あれほどの有様ではございませんでした」

そんな孫八を宥《なだ》め慰《なぐさ》め、この別邸に連れて来た。江戸を離れればもう安全だと、道中ずっと言い含めていたという。

「あんたには芋洗坂の屋敷での後始末があっただろう？　日帰りのきく距離とは言え、そんな危なっかしい様子の孫八をお守《もり》しながらここまで来たのは、誰か別の者《もん》のはずだ。誰にやらせた？」

久兵衛は答えを渋った。それで平四郎はピンときた。「ああ、あの影番頭か。便利なもんだな。あいつは元気か」

はあ、と久兵衛は応じる。苦笑いが浮かぶ。

「そうか。湊屋総右衛門の懐刀《ふところがたな》勢ぞろいだったんだな」

「たかだか二人でございます」

「右大将と左大将じゃねえか」

そして孫八はここの下男に落ち着いたのだが、実は半月ほど経ったころ、熱病にかかったのだという。三日三晩うなされて、命も危ういほどだった。

「それでも手当ての甲斐があり、何とか本復《ほんぷく》したのですが」

以来、彼の髪は真っ白になった。節々が腫《は》れ、足を引きずるようになり、背中も曲がってしまった。

「それも全て熱病のせいだとお医者の先生はおっしゃいました。命は助けても、そこまで回復させることはできなかった。病が凝《しこ》って、身体のあちこちに障《さわ》りが残ってしまったのですな」

その熱病の間中、孫八はうわ言を言い続けていたという。勘弁してくれ。俺が悪かった。済まねえ、済まねえ、許してくれ。

「誰に謝っていたんだろう」平四郎は眉を寄せた。まだ額に冷たい汗が残っている。

「誰が孫八の悪夢のなかに出てきたんだろう」

「罪――でございましょうな」

久兵衛は言った。声音は優しいが、きっぱりとした口調だ。仁王立ちになって、地べたをきっと睨んでいる。

「己《おのれ》の欲のために他人を害してきたこと――有《あ》り体《てい》に申しますなら、お六の亭主を殺した罪が、熱病となって出たのですよ」

「そうかなぁ」

まぜっかえすつもりではなかったが、胴間声《どうまごえ》だったのでそうなってしまった。久兵衛が小平次と顔を見合わせた。

「俺が言ってるのはそういう意味じゃねえんだ。だってさ、何も悪いことをしてない善人中の善人だって、熱病にかかるときはかかるだろ」

「それはそうでございますが、孫八の場合は」

「違うってか？　違わねえだろ。後ろ暗いことの山ほどある孫八は、幻術で震え上がって度を失って、それで身体が弱ってたんだ。そこにもってきて、たまたま運悪く熱病にかかった。で、熱病じゃどうしたって高い熱でうんうん浮かされるものだから、その夢のなかには彼奴《きやつ》のやらかした悪事が出てきた。それだけのことさ」

うへえ、でもあの白髪はと、小平次が口を尖らせる。

「熱病にかかって髪が白くなっちまったって話は、俺は他でも聞いたことがあるよ」

平四郎は片膝をぱんと打った。

「ま、いいや。どっちみち孫八は、葵に恨みを抱いて悪さをするなんてことは、できやしねえ。それはよくよく得心《とくしん》がいった。それより久兵衛、もうひとつ訊きたいことがあるんだ。むしろこっちの方が本題なんだよ」

まあこっちへ上がりなよと、手招きした。久兵衛は履物を脱いで濡れ縁に上がると、膝を揃えて正座した。

「芋洗坂で孫八をやっつけた後、お六が葵に、あんな凄い幻術一座を雇ったんじゃ、さぞかし手間と費《つい》えがかかったろうと尋ねたら、金のことは案じるなと答えたそう

だ。あの者たちとは、前々からひと働きしてもらう約束もあったし、となＪ

そして葵はこう続けたという。

――あたしはあたしで、ああいう幻術を見せて騙したい相手がいたものだから。

久兵衛の、それでなくても肉の薄い頬のあたりが、ちょっと突っ張ったようになった。

「それはお六が申したのでしょうか」

「うん、俺が頼んだんだ。あの屋敷で起こった出来事、葵と話したことなんか、何でもいいから洗いざらい思い出して教えてくれとな。だから、お六を叱らないでくれよ」

平四郎は懐手をした。袖口から奥がするりと冷えるのだ。庭から座敷へと、秋の潮風が吹き抜ける。景色は素晴らしいが、それでももう障子を閉めた方がいいかもしれない。

「葵の騙したい相手ってのは、誰だったんだろうな。おまえさんなら知ってるはずだ。教えちゃくれまいか」

久兵衛は膝のあたりに目を落としている。小平次はまた沓脱石《くつぬぎいし》のそばにかしこまり、平四郎と久兵衛の顔を見比べている。

「それは――葵様があのような目に遭われたこととは、一切関わりない事柄と思いま

すが」

久兵衛の言葉に、平四郎はうなずいた。

「俺もそう思うよ。でも言いにくいか。じゃあ、あててみようか。おふじだろ」

久兵衛はさらにうなだれた。

「鉄瓶長屋の大芝居があって、あすこに藤屋敷が建って、おふじが移り住んで——そうした一連の経緯《いきさつ》を、もちろん葵は聞いて知っていたんだろ。湊屋が話したろうからな。それでまあ、ちっとはおふじに対して気が咎《とが》めたかしてな」

顔を上げて何か言いかけ、久兵衛は口をつぐむ。

「あの幻術一座を使って、おふじに葵の幻でも見せてさ、幻の葵に、〝もう怨んでない〟〝あたしの方こそ申し訳なかった〟とか言わせてさ、おふじを慰めようと思っていたんじゃないのかい?」

湊屋総右衛門は、葵がおふじを評し、「さても業の深い」と言ったと話していた。蹴り落とすような冷たい台詞だ。が、少しばかりではあるが、お六の目を通した葵の人となりを知った今では、そんな冷酷さと身勝手だけが葵の心情ではなかったような気もしてくるのだ。

葵は、後ろめたさも後悔も、償《つぐな》いたいという気持ちも持っていた。おふじに対しても、佐吉にも。

「ま、白状するとだな」平四郎は平手でぴしゃりと額を打った。「葵の側にそういう気持ちというか、企て――と言っても悪いもんじゃねえが、それがあったんじゃないかと推察したのは、俺じゃねえんだ。弓之助だ」

弓之助は、お六の書き物を読み易いように書き直した際に、このことに気がついたのだ。弓之助に言われなくては、平四郎一人なら何気なく読み飛ばしていたはずである。

ところが、せっかく「やっぱり弓之助なんだよ」という口調で種明かししてみせたのに、久兵衛が驚くどころか怪訝《けげん》そうな顔をするので、平四郎は今さらのようにあっと思った。そうか、久兵衛は弓之助を知らないのである。

「俺の甥なんだ。これがなかなか聡《さと》いおつむりの持ち主でな」

それで久兵衛の顔がほぐれた。「ああ、左様ですか。そうしますと井筒様、その甥御様を跡取りになさいますので？」

差配人というのは、こういうところの察しは早い。

「まあ、そんな話もある」

さいですかさいですかと、久兵衛は妙に嬉し気である。それはようございましたなぁなどと喜んでいる。

「ありがとうよ。だが、どうなんだ。この推測はあたってるか」

「あたっております」と、久兵衛は答えた。小さくため息をもらす。「葵様からそういうご相談があったと、手前は旦那様から伺いました。藤屋敷が建って間もなくのころでございましたかな」

「湊屋は何と言った？」

「難しいだろう、と」

「おふじを騙すのがか」

「と申しますより、仕掛けそのものがでございます。幻術を見せるとなれば、藤屋敷でやらねばなりません」

幻術を繰り広げるには、念入りな支度がいる。事前に藤屋敷でとんとんかんかんやる必要が出てくる。

「ところがおふじ様は、よほどの事がない限り、藤屋敷から外に出ようとはなさいません。それと悟られぬように支度をするのは難しい、という意味でございます。芋洗坂のお屋敷の場合とは違い、藤屋敷では近所の者たちの目もございますし」

なるほどな、と平四郎はうなずいた。

「だから、実際に仕掛けることはできずにいるまま、日にちが経っていたというわけか」

孫八を退治した後、お六を相手にそんな言葉がぽろりと口をついて出たということ

は、葵はずっと気に病んでいたのだろう。幻術一座の腕前のほどは知っている。仕掛けることさえできれば、きっとおふじの心を宥めてくれるだろう。何とかできないものかと思い続けていたのだろう。

もっとも、その言葉には続きがあった。お六は書いていた。葵はさらにこう言ったと。

――でもね、そっちより、こっちの方がずっと良かった。

騙して宥めるのもひとつの策。だがそれは、おふじのためである以上に、自分の気を楽にするための算段でもある。葵の心が揺れているのがわかるではないか。

湊屋総右衛門が、佐吉に本当の真実を知らせてからこっちは、葵の心はさらに揺れては戻り、戻ってはまた揺れたことだろう。十八年前に捨て去り、忘れ、忘れられていたはずの一人息子に、早晩会わねばならなくなる。何と言おう。どう説明しよう。その前に、少しでも過去を償っておけるものならば、そうしたい。しかしそれはあまりにも虫が良すぎる願いではあるまいか。

久兵衛がしみじみと仰ぐように平四郎を見ている。

「井筒様は、たったそれだけのことを手前にお確かめになるために、わざわざおいでくださったのですか」

「そういうことかな」

「お手紙でもよろしゅうございましたのに」

「文のやりとりじゃ、おまえさん、けっして本当のことを書いちゃくれなかったろ? こうして顔を突き合わせて、問い詰めなくちゃさ」

久兵衛は苦笑いをこぼした。「かもしれません」

「それに、お徳の重箱も食ってもらいたかったしな」

「いえいえ、旦那は遠出をしたかったのでございますよ」と、小平次が言った。うるせえと叱ると、笑いながらうへえと畏《おそ》れ入《い》った。

葵のなかに、平四郎にも理解することのできる優しさがあった。自分のしてきたことを悔やむ気持ちもあった。やり方の是非はともかく、埋め合わせたいという思いもあった。それを確かめたかったというのが、本当の本音だ。上手く言葉にならなかったから、言わずにおいた。だが言わなくても、久兵衛は察したようである。

「ありがとうございます。葵様に成り代わりまして、お礼を申し上げます」

頭を下げられて、平四郎は鼻の頭をかいた。

もてなしの膳の支度が整ったと、呼ばれて別室に移ると、誰かがそこで平伏している。武家ではない。商人《あきんど》である。久兵衛よりも平四郎よりもはるかに若い。身なりは地味だが垢抜けている。

見慣れない後ろ頭を眺めて困惑し、振り返って久兵衛に尋ねようとしかけたとき、当の人物が顔を上げた。目と目があった。

顔を見ても誰だかわからない。宗次郎が起き出してきたのか。だが、それにしては目の前の若い男は血色がよく、とても病人とは思われない。

「井筒様、ようこそお越しくださいました」

口上と共にもう一度畳に手をつき直して、若い商人は言った。

「初めてお目にかかります。手前は湊屋の宗一郎でございます」

十四

お徳の重箱に加えて、とりどりの豊かな海の幸が並べられている。江戸では見たこともない貝や、えらの張った大きな魚のお頭《かしら》の飾られた刺身の皿に、平四郎は目を瞠った。

食い意地が張っているから、食べ物ばかりに目がいく――というわけではない。目の前に端然《たんぜん》と座っている湊屋宗一郎と、どんな顔をして向き合ったらいいのか、平四郎は判じかねているのだった。

小役人の気楽さと、生来の不精とざっかけない気性のおかげで、普段の平四郎は、

誰かの前で身の置き所に困るなど、まずあったためしがない。が、今回は少々勝手が違った。それもこれも、先に久兵衛から、あんな話を聞いてしまったが仇《あだ》だ。

宗一郎は、湊屋総右衛門と似ていない。顔立ちも身体つきも、親子とは思われないほどにかけ離れている。

総右衛門は大柄な方ではないが、見るからに骨太でがっしりとしている。それでいて、そういう体格の男にありがちな大まかな感じはまるでなく、顔形はすっきりと整い、鼻筋も通っている。細い目と切れ上がった目じりが怜悧《れいり》な男前である。

宗一郎も、顔立ちが整っていることは同じだ。だが、整い方の種類が違う。男なのに女顔、女なのに男顔、ということを、世間ではよく言う。父親の総右衛門は男のなかの男顔だが、宗一郎は女顔なのだ。

しかも、可憐《かれん》の部類に入る。瞳はぱっちりと開き、くちびるの線がやわらかい。頬はつるりと、小鼻は人形のようにちんまりとしている。

似ているといったら、よっぽど赤の他人の弓之助の方に似ている。あれほどの美形ではないが、分けるとしたら同じところに入るだろう。

宗一郎は背が高く、何となくしんなりとした身体つきをしている。これも女を思わせる。柳腰は言いすぎだが、それでも踊りの師匠のようだ。ちらちらと盗み見ると、指も長くて美しい。

おふじに似ているのか——と思えば、目のあたりなど面影があるようにも見える。男の子は、幼いころは母親に似るものだから、昔はそっくりだったかもしれない。今は、母親に似ていると言い切るには、すでに一人前の男の顔に出来上がりすぎているようだ。

やっぱり弓之助に似ている、としか言いようがない。

久兵衛は澄ました顔をして、彦一が筆をとり添えてくれた品書きをいちいち読み上げては、自分の手柄のように誇らしげに、重箱の中身を宗一郎に説明している。宗一郎は目を細めたり驚いたり感心したり、これまた律儀に相槌を打つ。二人のやりとりのなかで、宗一郎がひょいと、久兵衛を「爺《じい》」と呼ぶのを聞きつけて、平四郎はふうんと思った。

酒が運ばれてきた。久兵衛の采配で、女中がまめまめしく立ち回る。

「ささ、それでは井筒様、どうぞお箸をお取りくださいませ」

膳を囲むのは、平四郎と宗一郎と久兵衛の三人である。小平次はもっと気楽な小座敷で、お供の中間《ちゅうげん》用のもてなしを受けているはずだ。そっちの方が楽しそうな気がして羨ましい。

「御馳走をいただきながら、ここの使用人たちから、あれこれ聞き込んで参ります。もういっぺん、孫八とも話ができればいいんでございますが」

生意気に密偵や岡っ引きの手下のような台詞を吐いていたが、お徳の重箱からちゃんと自分の分を取り分けてもらっているのだし、これだけの海のお御馳走を前に、どれぐらい働けるものやら、あてにはしにくい。

「たいへん不躾《ぶしつけ》で、失礼の段は重々承知しておりましたのですが」

形ばかり酒の杯に口をつけ、すぐ脇に置いて、宗一郎はいずまいを正した。

「手前もちょうど、宗次郎の見舞いに参っていたところでございました。湊屋が井筒様にお世話になっておりますことは、父からもこの久兵衛からも、よくよく聞いておりましたので、この好機にぜひご挨拶をさせていただきたいと久兵衛にせがみまして」

お目にかかれまして光栄に存じますと、どこまでもバカ丁寧で謙譲《けんじょう》である。

それにしても、久兵衛はともかく湊屋総右衛門が平四郎のことを倅《せがれ》に話しているとは驚いた。どんな言われようをしているのか、考えると薄ら寒くなる。だからへらへら笑って、まあ硬い挨拶《あいさつ》はそこまでだと銚子《ちょうし》を差し出した。宗一郎はかしこまって受ける。

いかん。どうも雑念が入る。宗一郎は親父殿に似ていない。声も似ていない。話し方も似ていない。何も共通するものがない。

こりゃやっぱり、まずかろうなぁ。

それに、湊屋が俺に「お世話になっている」とは、どういう意味だろう。総右衛門はこの長男に、何をどれくらい打ち明けているのだろう。まさか葵のことと、それが根っこになって起こった鉄瓶長屋の騒動の顚末《てんまつ》など、話して聞かせているわけはない。宗一郎はおふじの腹なのだ。

そういえば、宗一郎はいくつだ？　佐吉より年下なのだから、二十代の初めか、半ばくらいだろう。それにしても若すぎるというか、若旦那と呼ばれる身分にしては、幼いほどの頼りなさだ。

この手のきれいさから推すと、道楽息子とも思える。が、そういう噂は聞いたことがない。一代で湊屋を築き上げた大立者《おおだてもの》の総右衛門と比べられたら最初《はな》から勝負にならない二代目ではあるが、真面目に商いを学んでいるという評判ばかりだ。

うざうざと頭のなかで考えつつ、口先では、この地の風物だの名所だの、名物だのについて宗一郎が語り、久兵衛が語るのを、平四郎は聞いている。なごやかな場面である。料理も酒も飛び切りに旨い。

話の切れ間に、平四郎はつと水を向けた。

「ところで、宗次郎さんのご容態があんまりよくないと、さっき聞いたところだ。宗一郎さんも心配だろう」

宗一郎は、箸を使う動作に隠して、久兵衛の顔をちらと窺った。久兵衛も彼の眼差

しを受けたが、合図らしいものを返さない。

「お気遣いをいただきまして、ありがとう存じます」

またぞろ丁寧に、宗一郎はまず礼を述べる。

「気鬱の病というものは、周りの者があまりきりきりと案じましても、かえってよくないのだそうでございます。手前が宗次郎の顔を見に参りますのは、半ばは口実で、ここの旨い魚を食べ、商いを忘れてひと晩ふた晩ゆっくり寝たいというのが本当のところでございまして」

平四郎は笑った。「何の、そうでもないだろうよ。仲のいい兄弟なんだな」

「みすずも嫁《か》してしまいますし、手前と宗次郎の二人だけでございますから」

「嫁はもらわないのかい?」

宗一郎ははにかむように笑いながら久兵衛に目を向ける。久兵衛は箸の先でお徳の煮卵をつまんで、それに事寄せて反応しない。

「手前のような若輩者では、まだ嫁の来てがございません」

「そうかねえ。もう立派な一人前だろうにさ。いいかげん、湊屋さんも隠居して、あんたにお店《たな》を任せたっていいころだ」

「とんでもありません。父がおりましてこその湊屋でございます。手前では、父の影の代わりも務まりません」

というより、今だってあんたは親父殿の影だよなぁと、平四郎は腹のなかで思った。いつだって、親父殿に踏みしめられてさ。

そして、ふと思い当たった。俺は宗一郎によく似た人物を、もう一人知っている。顔かたちではなく、この遠慮がちで控えめで、どこか世間に怖《お》じているようなところがよく似ている人物を。

佐吉だ。それもお恵と所帯を持ち、自分の生きる道を歩み始める以前の、鉄瓶長屋にいたころの佐吉である。

湊屋総右衛門という男は、自身のまわりにいる男どもを、等しなみにこんなふうにしてしまう神通力でも持っているのだろうか。

それに引き換え、女どもはたくましい。

葵は、総右衛門に愛され庇護《ひご》され、しかし彼に骨抜きにされてはいなかった。彼の人生の舵取《かじと》りは、実は葵の手にゆだねられていたようなところがある。一方おふじは――あの女のこれまでの人生は、総右衛門という男との戦いの歴史で、それはほとんど負け戦ではあるが、しかし総右衛門に心地よい勝たせ方をしたことはいっぺんもない。しかも、戦は今も続いている。おふじの心は現世《うつしよ》を離れ、おぼろな異国《とつくに》へと彷徨《さまよ》い出てしまったが、彼女がそうなったことのツケを、総右衛門は心のどこかに常に背負っている。

背負わざるを得ないのは、ここに宗一郎という倅がいるからだ。

平四郎は、湊屋の一人娘みすずの顔を思い出した。鉄瓶長屋に押しかけてきて、佐吉の嫁になるんだと言い切った、あの時のあの娘は、おとっつぁんなんかクソ食らえというような明るさを持っていた。父親のお膳立てした縁談に乗り、見ず知らずの土地に嫁そうとしている今でも、その勝気と元気は変わっていないだろうか。

「みすずさんはどうしてる？」酒盃を置いて、宗一郎に尋ねた。「もう西国へ行ってしまったかな」

「いえ、それが少々先に延びまして、まだ江戸の仮親のところに暮らしております」

宗一郎はすぐに答えた。「先様が、今は江戸におられますので」

「大名家なんだったよな」

大方、湊屋の大名貸しのお得意先だろう。

「はい。来春、お国に帰られます折に、みすずを一緒にお連れくださることになりました。井筒様はみすずをご存知でございましょう？」

「うん、ちみっとだけだが」

「おきゃんでお転婆《てんば》で、およそお大名のお国様《くにさま》にふさわしいような娘ではございません。ですから仮親の元で、厳しく躾《しつ》けていただいているところでございます」

言葉は辛《から》いが、表情は柔らかい。みすずは兄さんたちを腑抜《ふぬ》け呼ばわりして嫌って

いたが、少なくとも宗一郎は、みすずを憎く思ってなどいないようだ。

「親父さんの決めた縁談で、本人の気分はどうなんだろうな」

宗一郎は、ちょっと何かを思い出すような、しんみりとした目の色になった。

「最初のうちは逆らっておりました。家出してやる、などと口を尖らせまして」

あのお嬢さんならありそうな話だ。

「ただ、あれは――はねっかえり娘ではございますが、痴《し》れ者《もの》ではございません。兄の私が申しますのもお恥ずかしいのですが」

「いや、俺もみすずさんは賢い娘だと思ってるよ」

「ありがとうございます」宗一郎は一礼した。「おとっつぁんの都合で縁談を押し付けられるのはまっぴらだと、さんざん文句を垂れて、父にもしゃにむにつっかかることが続きましたので、手前もさすがに案じられまして、一度みすずを呼び、兄らしく意見したことがございます」

すると、みすずは笑って言ったという。

――兄さんなんかに心配されなくても、あたしは身の程をわきまえてます。

「家出なんぞしたところで、乳母日傘《おんばひがさ》で育てられたこんな自分が、一人で生きてゆかれるわけもない。どうあがいたところで、湊屋の大きな影のなかで暮らしてゆくしかない。それだったら、せめておとっつぁんの目の届かない、声の聞こえない、うんと

離れたところで楽しく暮らしてやる、だからいいですよ、あたしは遠くへお嫁にいきます、と」

少々やけっぱちの気味もあるようだ。佐吉の嫁になれなかったこと、佐吉に後ずさりされてしまったことは、あのお嬢さんにとっては人生唯一の鼻折れで、やっぱり心が傷ついたのだろう。

「それでも、仮親のご両親には気にいられておりますようで」宗一郎は微笑んだ。

「みすずはひどい近眼《ちかめ》なのですが」

眼鏡なしでは、三歩あるいて目の前の水瓶に激突するほどであった。

「初めのうちは、眼鏡をかけるのでは、百両の女が一分にまで下がると、仮親の母御にきつく叱られたそうなのですが、今では、これも愛嬌《あいきよう》だと笑ってもらっているようです。女子《おなご》が美しく見えるのは夜目遠目笠の内と申しますが、近眼も美人のうちだということで」

平四郎は吹き出してしまった。「婀娜《あだ》っぽいのは、目病み女に風邪ひき男とも言うからな」

みすずなら大丈夫、どこへ行っても自分の居場所を見つけるだろう。おふじがあんな様子になってしまった今では、いっそ離れた方が幸せだった。平四郎はほっとした。

最前から、お徳の重箱に詰め込まれた料理を、遠慮がちながらもひと箸ひと箸嚙み締めていた久兵衛が、つと膳を見渡して、何か足りないものに気がついたとでもいう風情で、すっと膝をずらして立ち上がった。座敷を出てゆく。何ということもなく、平四郎は見送った。

が、久兵衛が消えると、宗一郎が座り直した。「井筒様」

さあ、おいでなすったぞと、平四郎は思った。やっぱりただの会食では済まねえわけだ。宗一郎は何を言い出す？

「どうぞ、お召し上がりくださいませ」

箸を止めた平四郎を促して、しかし宗一郎自身は両手を膝に揃えてしまっている。

「先に久兵衛から、湊屋内々の事柄で、お耳障りなことを井筒様にお知らせいたしましたそうで……」

申し訳ございません、と言う。平四郎は刺身を口に放り込んだ。ゆっくり嚙んで味わって、ごくりと飲み込む。

「俺はどうにも無粋でいけねえ」と、笑ってみせる。「こんな旨い刺身だっていうのに、醬油《むらさき》をどっぷりつけちまう。薬味もちっと多すぎた」

宗一郎は真顔のままである。

「うん、聞いたよ。驚いた」と、平四郎は言った。「あんたは総右衛門さんの胤《たね》じゃ

ないかもしれないんだってな」

わざと不躾に言ってみた。宗一郎は動じない。静かにうなずいた。

「かもしれないと申しますのは、あくまでも言葉の綾《あや》でございます。手前は湊屋総右衛門の実の息子ではございません。ここまで似ていない父子《おやこ》など、まず考えられないことでございますから」

「世間には、似てない父子なんざいっぱいいるさ」

宗一郎は黙って笑い返す。平四郎は目をそらした。こりゃあ似てねえ、まずいなぁと思っていた心の内を、読み通されていたようだ。

「あんた、おふじさんからそれを聞かされたそうだね。五年前の正月だとか」

「はい」

「余計なことをしたもんだよな。そうは思わねえか?」

宗一郎はそれに答えず、ほんのわずかに首をかしげて、久兵衛が出て行った唐紙《からかみ》の方に目をやった。そんな仕草もはんなりしている。

「久兵衛は正直者でございます」

今までよりも、声音《こわね》を一段低く落として言い出した。

「父にも手前にも隠し事ができません。それと同じように、井筒様にも隠し事をすることができませんようで、余計なことをお耳に入れてしまいました。また、井筒様に

そんな話をお聞かせしたことを、今度は手前に隠し通すこともできませなんだ。顔色が沈みますので、すぐわかります」

差配人の小言久兵衛さんも、女形のような若旦那の前では形無しだ。

「実を申しますと、こうしてお目にかかりますのは初めてでございますが、手前は何年も前から、久兵衛を通して井筒様のお名前を存じ上げておりました。久兵衛が鉄瓶長屋の差配人をしておりますころ、折に触れては井筒様のお話をしておりましたので」

「さぞや悪口を聞かされたろう。ぼんくら役人だってさ」

平四郎の茶化しに、宗一郎は乗ってこなかった。そして淡々と続ける。

「湊屋の地所や貸し家の采配について、それは湊屋の大事な身代《しんだい》の内でございますから、きちんと知っておいた方がいい。そう考えまして、もう何年も前から——はい、母からあんな打ち明け話を聞かされる以前から、手前は、久兵衛からあれこれ教えてもらっていたのです。ところが五年前、手前は自分の出自を知りました。そうなるともう——湊屋の身代のことを案じるのは、何かこう、浅ましく意地汚いような気がして参りました」

平四郎はじっと宗一郎の顔を見据える。宗一郎は膳の上の一点に目を据えたまま語る。

「その一方で、手前にも意地もあれば欲もございます。これまで湊屋で商いを学び、足りないながらも手前の才覚で采配をふるってきた部分もあるというのに、いい大人になって突然それをすべて無にして、湊屋を出てゆくというのは、あまりに人が好すぎやしないか。だいいち、母は手前が跡取りになることを望んでいるのでございますから」

「ちょっと待った」平四郎は割り込んだ。「俺が久兵衛から聞いた限りじゃ、おふじさんはあんたに打ち明け話をしたことはしたが、だからどうしろと言ったわけじゃなかったというぜ。ただそういうことだから承知しておけ、とさ」

それが半端なので、かえって酷だと平四郎は思ったのだ。

「それはその」と、宗一郎は口ごもる。「手前が久兵衛にそう言ったからでございます。手前は——浅はかではありますが、父の忠実な懐刀で、母をひどく嫌っている久兵衛に、今以上に母を悪く思ってほしくありませんでした。ですから、嘘をついたわけではないにしろ、事をぼかして話したのです。本当は、母は手前に、おまえが旦那様の実の息子ではないからこそ、あたしはおまえに湊屋の身代を取ってほしいのだと申しましたのです」

平四郎は驚かなかった。むしろ、すっとした。おふじの人となりと、彼女がこれまで湊屋総右衛門と繰り広げてきた静かなる合戦の星取り表から言って、そっちの言い

分の方がはるかに筋が通っている。

「なぁるほど」

平四郎は喉の渇きを覚えたが、ここには酒しかない。茶がほしい。が、今そんなことを言い出して話の腰を折りたくない。ぐっと我慢である。

「だからこのことは、誰にも言ってはならない。もちろん旦那様にも、おまえがこれを知っていると気取《けど》られてはいけない。母はまるですがるようにして、手前の手を取ってそう申したのです」

思い出すだけでも辛そうに、宗一郎は顔を歪めた。

「そもそも五年前の正月に、母が手前にそんなことを言いましたのは、手前に縁談が起こったからでございます。嫁をとり、身を固め子供を持ち、やがては湊屋の主人になる。そういう、いわば地固めにとりかかる時期でございました。つまりその——母の腹積もりといたしましては」

「うん、わかる」

「しかしその縁談を、父はひどく嫌いまして、ほとんど門前払いのように退けてしまいました。それ以前にも縁談はいくつかございまして、それらも父が〝まだ早すぎる〟という理由で断っていたのですが」

「五年前といったら、あんたは十八、九だったろ」

「はい。商いのことは、もちろん父には至りませんが、ひととおりはわかるようになっておりましたが」

「そうすると今度ばかりは、早すぎると縁談を潰すわけにもいかんかったな。それなのに、闇雲に断っちまったのか」

だから、不可解に思ったのだと宗一郎は言う。

「しかもまた、縁談を潰されたときの母の怒りが、尋常なものではございませんでした。父にひどい言葉を投げかけ、その挙句に」

宗一郎を呼びつけて、実はおまえの本当の父親は——とぶちまけたのだ。

「母は申しました。考えてご覧。思い出してご覧。おまえが幼いころから、旦那様はおまえに冷たかったろう。佐吉なんかをあんなに可愛がり、おまえにはその半分もかまっておくれでなかったじゃないか」

実際、そのとおりであったらしい。かつて湊屋のなかには、佐吉が跡目をとるのではないかという噂さえあったのだ。

「あんたにも思い当たるところがあった、と」

「確かに父は、手前に厳しゅうございました。忙しい身体ですから、子供にかまう時が少ないのはいたし方ありません。ただ、それでも、弟や妹に対しては父親らしい親しみも優しさも見せるのに、手前にはそれも」

声がちょっとかすれた。一人語りに喉が嗄《か》れている。

「ただ、商人の父親と跡取り息子の有り様など、どの家でも同じようなものだろうと思っていたのです。跡取りはお店の身代を背負う身です。甘やかされ、ふやけた男に育ちあがっては、お店の土台を揺るがすことになる。だから宗次郎とみすずよりも、手前は厳しく仕込まれているのだ。そう思い込んでいたのです。手前は世間を知りません。手前の世間は湊屋の看板の上に乗っかっているものだけでございますから」

しかしおふじに指摘され、驚きと共に宗一郎は考えた。目からうろこが落ちたような気がした、という。

「とりわけ佐吉のことは——はい、子供心に、父があまりに佐吉を可愛がるので、手前もねたましく感じたことがございましたので」

姪の子供ではあっても、佐吉は総右衛門と血を分けている。宗一郎は違う。赤の他人の胤《たね》であるという以上に、総右衛門にとっては憎い間男《まおとこ》の子だ。

「すべてがすっきりと、筋が通ると感じました」と、宗一郎は続けた。「手前は、身はひとつながら、二つに裂けたような心持《こころもち》でございました。ひとつの身は、己《おのれ》はもう湊屋にいる資格はない、本当のことがわかった以上はすぐに出てゆくべきだと口説いています。もうひとつの身は、ああ口惜しい、これまで手前を虐《しいた》げてきた親父に仕返しをしてやる、湊屋の身代は俺のものだと叫んでおります」

ただ――と、渇いた喉をごくりとさせて、小声になって言い足した。

「父がほうぼうに女をつくり、外腹《ほかばら》の子を産ませて、長いあいだ母を苦しめて参りましたことを、手前は苦々しく思っておりました。それも大商人の道楽、甲斐性のうちと、腹を宥めておりましたが、倅として母を気の毒に思いましたし、父の女道楽を恥とも感じておりましたのです。しかし、母の打ち明け話を聞いてから後は、父の乱行の大本《おおもと》は、母の不倫にあったのだと――つまりは手前がここにいることが元凶だったのだと――わかってしまってからは――」

唐突に、手元の杯をぐいとつかむと、宗一郎は目をつむって酒を飲み干した。たいした量ではない。喉を潤《うるお》すにも足りないだろう。

杯を置いて目を開けた。白目が赤くなっていた。

「それからしばらく、手前は行状が荒れました」

「え？ そりゃ本当かい？」

今度は素朴に、平四郎は驚いた。鉄瓶長屋の騒動のあいだ、平四郎は朋友の隠密廻《おんみつまわ》り同心である通称〝黒豆《くろまめ》〟にも頼んで、ずいぶんと熱心に湊屋に探りを入れたものだ。だが、あのころ、宗一郎の行状についての噂など、欠片《かけら》も出てきはしなかった。

宗一郎は力なく笑った。「もともと小心でございますから、たいしたことはできませなんだ。それに、手前があまり羽目をはずしますと、また母の立場が悪くなるので

はと案じられまして」

平四郎は、腹の底から力が抜けるような感じがした。「あんたも苦労が多かったんだな。佐吉と同じだ」

思わず言ってしまったのだが、宗一郎の目がぴかりと光った。

「そう、佐吉でございますよ」と、軽く乗り出す。「もう二年も前になりますか。久兵衛は唐突に、鉄瓶長屋の差配をやめました。勝元からも退き、この別邸の家守《いえもり》になりました。そして鉄瓶長屋の差配人には、佐吉が据えられた。わざわざ植木職をやめさせて、父がそう計らったのです。手前は——穏やかな心地ではおられませんでした」

湊屋総右衛門がそんな強引な手を打ったのは、自分を退け、佐吉に跡目をとらせるための布石なのではないかと考えたのだ。

無理もない。平四郎は腹のなかで唸った。あの当時も考えたのだが、長屋や貸し家の差配人というのは、けっこう儲かる役割なのだ。何の勘繰りもなくただ平たく見れば、湊屋は若い佐吉を鉄瓶長屋の束ね役に据えることにより、彼に身代の一部を預け、そこからあがる収益を分け与えようとしている、と見える。

「また宗次郎が、今ほどではございませんが、そのころからすでに身体の具合があまりよくございませんで、商いを休みがちになっておりましたものですから……なおさ

らでした」

平四郎は両手を膝の上に突っ張り、鼻から太い息を吐き出した。宗一郎は悄然《しょうぜん》としてうなだれている。

「佐吉が鉄瓶長屋の差配人になったのは、まあ、いろいろ事情があったからでさ」

のろのろと言い出してみて、たちまち、どこまで話したらいいのかわからなくなって、平四郎は頭をかいた。

「そのようでございますね」

気がつくと、宗一郎が平四郎の顔を見ている。歳の割には澄んだ瞳である。というより、うっかり本心を現さずに済むように、この瞳をのぞいた者の目に、そこに映る己の顔しか見えないように、心がけ気をつけ精限り根限り一点の曇りもないように磨きあげた、これは鏡であるのかもしれなかった。

「しかし佐吉は長く差配人をしていたわけではございません。やがて、ああして鉄瓶長屋は壊され、母が住まう屋敷が建ちました。そうした事が進んでいくあいだ、手前は、何か変だ、何かおかしい、父も母も手前に何か隠している、久兵衛のふるまいもおかしいと感じておりました。手前は手前なりに調べてみようと思ったこともございます。しかし、何もつかむことはできませんでした」

そりゃそうだ。手駒のひとつもない宗一郎が、久兵衛や影番頭を縦横に走らせるこ

とのできる親父殿に太刀打ちできるはずがない。

しかしなぁ。平四郎は、半分がた空になったお徳の重箱を眺めながら思った。鉄瓶長屋の騒動のころは、こっちはこっちのことで手一杯で、一連のごたごたが、湊屋の側から見たらどう見えるのか、あっちはあっちで何かおかしいと感じている誰かがいるんじゃないのかなんて、考える余裕はなかった。

「そうして今日まで、手前はずるずると湊屋に居続けました」

居続けるなど、まるで女郎屋にでもしけこんでいるかのような言葉である。湊屋は宗一郎の生家であるのに。

「何も決断できず、何も断ち切れず、何も始められない。母を捨てることも、父に立ち向かうことも、何ひとつ。手前は腑抜《ふぬ》けです」

こんなふうに卑下して自分を苛《いじ》めるところも、あのころの佐吉にそっくりだなぁ。

「ただ今年に入りまして――少し、気持ちが変わって参りました。このままではよくない、はっきりしようと思い始めまして」

「何かきっかけがあったのかい？」

「あの新しい屋敷――手前どもは藤屋敷と呼んでおりますが、母はあそこに移りましてから、何と申しますか、宗次郎以上に、気鬱症のようになってしまいました。手前が訪ねて参りましても、湊屋の身代や、手前が跡継ぎになることについても、何も申

さなくなりました。父の悪口を言うことさえなくなりまして」

それを見ているうちに悲しくなってきた、という。

「母も手前も、湊屋の看板の上で生きてきて、これまで、幸せなことなどひとつもなかったんじゃないか。そんな気がして参りました。湊屋の身代だの、跡取りだの、そんなことはすべて捨てて、一から新しくやりなおした方がいい。何でもいいから手前が生計《たつき》の道を見つけ、一人で食えるようになって、母を迎えに行き、湊屋から連れ出そう。そんなふうに考えるようになったんでございます」

総右衛門にもお店の者たちにも悟られることなく、湊屋の手広い商いの場からも離れて、生計の道を見つけるなど困難極まりない。この期に及んで焦りは禁物だと、宗一郎は慎重に動いた。が、その矢先。

「母が首を括《くく》りました」

口元からこぼれて、ぽろりと落ちるような言葉だった。平四郎はゆっくりとうなずき、それを知っていることを宗一郎に伝えた。

「ご存知でしたか。手前はたまらなくなりました。それに、母があんなことをしてしばらくして、そう、この秋の中ごろからでしたでしょうか。父の様子もおかしくなってまいりました。何かあわただしく、久兵衛に使いを出して文をやりとりしたり、行き先を告げずに半日も店を空けたりいたします」

葵の屋敷に通い、そこで孫八退治に手を貸したりしていたからではない。その程度のことなら、誰の目からも隠しおおせる湊屋総右衛門だ。彼の様子が変わったのは、葵が殺されたからである。

「一度など、手前は腰を抜かしそうになったのですが」と、宗一郎は遠くを見るような目つきになって言った。「座敷で、父が泣いておりました。涙を隠しておりましたが、確かに目じりが濡れておりました」

湊屋総右衛門も人の子だったか。

平四郎は感じ入った。芋洗坂の屋敷で対面したときの、葵の名を出しても、彼女の思い出を語っても、眉毛一本動かさなかったあの顔は、仮面であったのだ。

「おかしな話でございますが、手前は胸が騒ぎました。もしや父が、母のために泣いているのではないかと思いました」

「で、それを確かめてみたのかい？」

久しぶりに平四郎が問いかけたので、宗一郎は一瞬ぽかんとした。

「親父殿に確かめてみたのかね」と、平四郎はもう一度尋ねた。

「確かめはしませんでした。そんなことは、今さら、ありそうもないことです。考えれば考えるほどに」

「そうかねえ」

「はい」宗一郎はぐいと顎を引いてうなずき、なぜか酷薄な感じにふっと笑った。

「父は他の誰かのために涙していたのでしょう。そうに違いありません」

鋭い、と平四郎は思う。だがそうか？　湊屋がこっそり流した涙のなかに、おふじに対する気持ちはひと欠片《かけら》もなかったろうか？

「ですから父の涙を、手前は見ませんでした。見なかったことにいたしました。でもそれは、はい、踏ん切るきっかけにはなりました。こんな家にはもういたくない。もうたくさんだと」

宗一郎は、生まれて初めて自分から父親に掛け合って、二人だけで話をする時をつくってもらった。

そして自らの決心を打ち明けた。これまでお世話になりましたが、宗一郎は湊屋を出ます。理由はおとっつぁんもよくご存知のはずです。生計の道を見つけて、おっかさんを引き取ります。

平四郎は何か痛ましい気がして、思わず目を細めた。

「親父殿はなんと言った？」

「好きにするがいい、と」

「たったそれだけか？」

「はい。ただ、宗次郎の病が治らないうちは、勝手にお店を離れることはまかりなら

んと」

勝手な言い分だ。

「それであんたはここへ来て――」

「はい。宗次郎の様子を見に参りました。とはいえ、気鬱に苦しむ宗次郎に、まさかこんな事の次第を打ち明けるわけには参りません。だから久兵衛に言ったのです。宗次郎に本復の兆しが見えたら、私は湊屋を出るつもりだ、なぜならば――と。いえ、でもそれは」

あわてたように首を振り、言い足した。

「父の言いつけに従ったわけではありません。宗次郎に迷惑をかけたくなかったからでございます」

そうかな、と平四郎はまた思った。それは理屈だ。宗一郎が自分を宥めるための本音としては、気持ちは固まっても、踏ん切りをつけたつもりでも、やっぱりまだ飛び出す勇気が出ないということじゃねえのか？　だからまわりの反応を見ている。言葉で久兵衛を驚かせ、それはそれでちょっと胸がすっとした。そんなところじゃねえのか。

心の片隅で、止めてくれることを、たとえば久兵衛が、若旦那考え直してくださいと言ってくるのを期待している。総右衛門だって、本気で「好きにしろ」と言ったは

ずはないと願っている。

そう考えるのは、意地悪に過ぎるか。

「久兵衛はあんたの出自のことを知らなかったんだよ」

「そのようでございますね。てっきり承知とばかり思い込んでおりました」

沈黙が落ちた。いつのまにか、秋の短い日は傾いて、座敷のなかに茜色《あかねいろ》の光が満ちている。帰りが夜道になっちまうなぁと、平四郎はぼんやり考えた。

「今回、手前がここに参りましたのは一昨日《おとつい》のことでございますが」と、宗一郎は言った。「久兵衛に会いまして、あれの様子から、手前の出自という湊屋内々のことを、どうも誰かに話して相談した節があるようだと感じ取りました。それで手前は……らしくもない強気を出しまして、久兵衛を問い詰めまして、井筒様のお名前を聞き出しました」

さぞかし不審に感じたろう。

「なぜ町方役人のお耳にと、手前は久兵衛を叱りつけました。どうしてもそうしなくてはならない理由があったと、久兵衛は平謝りしながらも言い張りました」

「変だろう?」と、平四郎は先回りをした。

「変でございますね」と、宗一郎も受ける。

「俺だって、あんたの立場だったら怪しむね」

しかし、間違いなく理由はあるのだ。

「井筒様」茜色の陽を顔の半分に受けて、残り半分の顔を翳《かげ》らせて、宗一郎は言った。

「その理由とやらを、お聞かせ願えませんでございましょうか。久兵衛が、井筒様ならお話しくださるというのです。ですから手前は、こうしてお待ち申し上げておりました。本当に、久兵衛があれほどに言う何かがあるのだとしたら……」

「だとしたら、何だい？」

「そのことは、近頃の父の様子のおかしかったこと、父の涙とも、あるいは母が首を括ったこととも、何かしら関わりがあるのではないかと思えるのです。それは手前の邪推《じゃすい》、思い過ごしでございましょうか」

「それを知りたいのかい？　あんたはもう湊屋を出るんだろ？　知らなくたっていいじゃねえか」

宗一郎は黙って口を結ぶ。退いたのではなく、黙ってこらえて踏ん張っている。

と、唐紙がすっと開いた。

「手前からもお願い申し上げます」

久兵衛だった。敷居の前で手をついている。

「若旦那のお気持ちがおさまりますように、井筒様、お願い申し上げます」

ちょっと息を呑んで、平四郎は久兵衛を見つめた。宗一郎も身を固くしている。

「そりゃずるいぜ、久兵衛」

平四郎は笑って言ったが、せいぜい皮肉のきいた笑い声をたてたつもりだった。

「おまえさんが自分で言いなよ。それとも、腹心の久兵衛さんが口を割ったんじゃ、旦那様に申し訳なくて腹かっさばいてお詫びしなくちゃならなくなるか?」

これしきの嫌味でへこむほど、久兵衛はやわではない。

「手前が若旦那に、井筒様にお願いするべきだと申しました。そのように信じておりますので」

「だってさ」

「手前がお話しすれば、言い訳になります。手前の恥や罪を隠したくなります」

ですからお願い申し上げますと伏し拝む。

「とうに旦那様のお許しもいただいております」

宗一郎がのけぞるほどに驚いた。「おとっつぁんが?」

「はい。井筒様からお話をしていただくようにと。それがいちばん――」

久兵衛は下を向いたまま、ちょっと詰まる。

「いちばん正しいと仰せになりました」

平四郎は嘆息《たんそく》した。あのなぁ、俺は湊屋御用達《ごようたし》の語り部《かたべ》じゃねえんだよ。

だけど、総右衛門がそんなことを言うなんて、俺はその——何ていうか、ちっとは一目置かれてるわけか？　正しい、なんてよ。

いかん、いかん。ここで喜んだら、お人好しだとお徳を笑っていられなくなる。

「こんなことになるんなら、おでこを連れてくりゃよかったな」

思わず漏れた言葉に、宗一郎が怪訝な顔をする。

「いいんだ、独り言だ」さっと手を振り、平四郎は久兵衛を睨みつけた。

「茶をくれ」

「はい、只今」

「それとさ」と、ざっと座敷のなかを見回すような動作を、わざとらしくやってのけた。

「俺と小平次が、今晩ひと晩泊まっても、誰も困りゃしないよな？　座敷は余ってるんだろ」

「はい、もちろんでございます」

久兵衛はまだ畳に額をつけている。平四郎はお徳の重箱をのぞきこんだ。まだ、旨そうな卵焼きが残っている。

遠慮しないで、もっと食おう。なにしろ長い話になるんだから。

十五

「べべん、べん、べん」

弓之助が、琵琶《びわ》を弾くような格好をしながら、節回しをつけてうなってみせた。

「それはお疲れさまでございましたね、叔父上。さだめし、壇《だん》ノ浦《うら》の合戦の巻を語るくらいの時がかかったことでございましょう」

平四郎の家の、いつもの座敷である。すでに夕暮れで、台所では小平次が夕飯の支度をしており、魚の生干しを焼く香ばしい匂いが漂ってくる。帰り際、宗一郎が山ほど包んで持たせてくれたのだ。

川崎から戻ったのは今日の午前《ひるまえ》のことである。日帰りのはずが一泊になり、なぜ遅れたのか、平四郎はまず上役に言い訳をしなくてはならなくなった。が、元来あてにされていないのか、携えていった生干しが効いたのか、頼まれて買ってきた美輪屋の佃煮《つくだに》に目を奪われたのか、上役はまったく怒らなかった。それでも一応神妙に半日お勤めをして、帰宅してみると弓之助が待っていたのだ。

「腰の具合はいかがですか。お揉みしましょうか」

弓之助は心配顔だが、こちらも存外、支障はなかった。なんとなれば、帰りは川崎

から駕籠《かご》に乗ってきたからである。宗一郎が手配してくれたのだった。

「てっきり六郷の渡しのところまでだろうと思ったらさ、反対河岸《がし》で舟を降りたら、そこにもまた駕籠屋が待っていやがったんだよ。湊屋さんからのお言いつけですって、手回しがいいことだった。酒手《さかて》をどのくらいはずんであったんだろうなぁ。駕籠かきの連中に、下へも置かない扱いをしてもらったぜ。あれでそう――担ぎ手も何代わったかな。しかも駕籠は二挺《にちょう》だから、その倍だ」

「では、小平次さんも？」

「贅沢《ぜいたく》だろ」

私はただの中間《ちゅうげん》です、旦那の駕籠の脇を走りますと真っ赤になって言い張るのを、体格においてはるかに勝る駕籠かきたちに、よってたかって「まあまあ、いいじゃねえですか」と押し込まれたのだ。

「あいつめ、乗り慣れていねえというより、生まれて初めてだろ？　このままえいほ、えいほと極楽まで連れていかれるんじゃないかと、生きた心地がしなかったそうだ」

もったいない、と弓之助はひとしきり笑い転げた。それから、笑いを消してふと呟いた。

「宗一郎さんという方は、寂しい方ですね」

平四郎はちょっとの間その表現を吟味した。

「自分で選んだ寂しさ、というかな。そんなに同情してやるこたぁねえよ」

「そうでしょうか」

「尻をまくって、とっとと家出する道だってあったはずだ。少なくとも五年前にさ」

先々が不安だ、今までの苦労が無になるというのなら、親父殿から金を分けてもらうという手も使えたろう。思い切って放蕩《ほうとう》息子に成り下がり、酒と博打と女に入れあげて湊屋の身代を潰すぐらいのことをやったってよかった。そうした手を打たず、ただうじうじ悩みながらも湊屋に留まったのは、単にいくじがなかったからだ。

「そうでしょうか」弓之助は眉毛をきりりと一文字にして問いかける。「わたくしは、母親を見捨てたり、弟に迷惑をかけることのできなかった宗一郎さんのお気持ちが、少しわかるように思えます」

平四郎はわざと黙っていた。あぐらをかいていたのを解いて、弓之助に背を向け、ごろりと横になる。

平四郎だって、宗一郎を気の毒に思う気持ちを持ち合わせてはいる。だが、ここはいちばん、それを脇にうっちゃって、むかっ腹を立ててやった方がいっそ親切だという気もするのだ。実際、川崎の別邸で、長い長い話を終えたとき、言ってやった。俺はなぁ宗一郎さん、湊屋さんにからんだ因縁話に、近頃、いささか飽き飽きしてるん

だよ。いい加減にしてくれと思っているんだよ。

同じことを、久兵衛に言ってやったときもあった。早めに刈り取って平らにしておけばよかったものを、ぐずぐずしているから根を張り枝が茂り、今となっちゃ面倒くさくて、誰も手入れができきゃしねえじゃねえか、と。

湊屋という「家」には、たぶん、そういう乱暴なずぼらさが、今いちばん必要なのではあるまいか。ああ、もういいよ。もうわかった。あっちもこっちも入り組んだ事情と言い分ばっかりだ。そんなの全部聞いちゃいられません。あたしはあたしのやりたいように、勝手にさせていただきます。そんな果断さを、誰かが発揮するべきなのだ。

平四郎は夢想する。そういう憎まれ役にうってつけなのは、実は葵ではなかったか。あの女が総右衛門に、もう「幽霊」でいるのは嫌だ、あたしは堂々と湊屋のお内儀《みかた》になりたいし、佐吉の顔も見たい。そうしておくんなさいと、強くねだっていたならば。あなたがこのまま手をこまねいて、何もしてくださらないなら、よござんすよ、あたしが湊屋に乗り込んで、おふじさんを叩き出しますから。

おふじの実家《さと》、つまりはおふじの父親が、いくら総右衛門にとって気を使う相手だとしても、先方はもうよぼよぼだ。いや、ひょっとしたら今はもう死んでる頃合だ。

一方、湊屋は充分大店《おおだな》になった。おふじを離別して葵を後に据えたとしても、何の障

りもなかったろう。

考えれば考えるほど、それが妙案に思えてくる。葵はどうしてそうしなかったのか。総右衛門はなぜそうしなかったのか。

何としても自分のしたいようにしたいし、そうしないと気が済まないが、しかしそれを他人様《ひとさま》に見られて、あのお人は何でも自分の我を通さずにはいられない怖い人だよと言われるのは嫌だ。まあ、なんて横紙破りなことをする人だろう、あれは人の道に外れているよねと、後ろ指をさされるのは嫌だ。

いや、それどころか、自分のしたいようにするために踏みつけたり騙したりする当の相手からさえも、非難されたくない。怨まれたくない。こっちにはこっちの、やむにやまれぬ想いとやらがあるのだと、伝えて呑み込んでもらわねば満足できない。

欲張りだぜ――と、平四郎は思う。

「いろいろな事の真相をまとめて聞かされて、宗一郎さんは驚かれたでしょうね。わたくしだったら、何日か寝込んでしまいそうです」

弓之助は瞳を曇らせる。

が、それがそうでもなかったのだ。

「今までおかしい、おかしい、と思っていたことが、いっぺんに解けた、霧が晴れたと言ってたぜ」

「ご自分のおっかさんが葵さんを殺しかけたことがあったというのに？」

――父と葵さんの間柄なら、子供ながらに怪しく感じておりました。それを間近に見ている母の様子も、子供の手前の目には恐ろしく映ったものでございます。――葵さんがいなくなった後も、湊屋のなかは、何もよくなりませんでした。むしろ、父母の間は、葵さんがいたころよりも、さらに遠く、冷たくなったようでございました。

そう呟いた宗一郎の顔に、彼の育ちのよさ、晩生《おくて》に見える地味な慎ましさを押しのけて、ある生々しい色合いが、ぎらりと浮かんだ。平四郎はそれを見て取り、一瞬ぎょっとしたものだった。

ぎらりと底光りしたその色は、憎しみと恐怖の色だった。

何を恐れ、何を憎むのか。他でもない、女というものを、だ。

宗一郎がこれまで、父親の意見に唯々《いい》諾々《だくだく》と従って嫁をとらず、女遊びに溺れることもなかったのは、彼が自分で言った理由のせいばかりではない。この恐怖と憎しみが、彼の心のなかに根を張っているからではないのか。平四郎はそう思った。女に心を許してはならない。女に心を操られてはならない。ましてや、女を愛するなどもっての外だ。

うかうかとそんなことをしたならば、自分の心が壊されてしまう。

「宗一郎はしばらく、藤屋敷で暮らすそうだ」

弓之助はぱちぱちと目をしばたたいた。

「おふじさんのそばにいるということでございますね？」

「うん。いたって、おふじにはもう手前の息子の顔も見分けられないそうだがな。何か言って聞かせたり、聞き出そうとしたって無駄だよって言ったら、それは百も承知だと笑っていた。ただおっかさんのそばについていてやりたいだけでございます、ってな」

それと、今は総右衛門の顔を見たくないのかもしれないと、平四郎は察した。

悲しい親孝行ですねと、弓之助はまた萎《しお》れた。ここでしんみりするのはまだ心が柔らかいからだ。平四郎のように、ちっと腹でも立ててみればいいのに。

「時に叔父上、宗一郎さんは、葵さんを手にかけそうな人に心当たりがあるとおっしゃっていましたか。お訊ねになってみたのでしょう？」

「一応、な」もう口癖になっているみたいな問いかけだから、訊いてはみた。

「そんな心当たりがあるわけがないってさ。もっともなことだ。ただ――」

――もっと先から、葵さんの居場所を知っていたのなら、手前が乗り込んでいって、ひょっとしたらひょっとしたかもしれません。

弓之助は本当に手で胸を撫でおろす仕草をしてみせた。「ああ、そうならなくてよ

かった」

ごろりと反対側に寝返りを打ち、平四郎は甥っ子の生き人形顔を見上げた。「それより、おめえたちの方の首尾はどうだったんだ？」

弓之助は少し生気を取り戻し、てきぱきと説明を始めた。

「李太郎さんは勇んで、何が何でもおはつちゃんの身を守ると約束してくれました」

「じゃ、あいつもおめえの推測を聞いて納得したわけだ」

「というか」ちょっと笑って、「李太郎さんは、わたくしの推論の半分ぐらいしか聞かないうちに、そりゃ大変だ、おはつの身が危ないなら、俺が守るって」

いい奴だ。

「ただ、匿《かくま》うといってもすぐにはうってつけの場所が見つかりませんし、おはつちゃんのご両親も、子供を他所《よそ》にやるのを嫌がるしで、結局、李太郎さんがおはつちゃんの家に一緒に住むことになりました。もちろん、こうしなくてはならない理由につきましては、どこのどなたに対しても、固く固く口外法度《はっと》と口止めをいたしまして」

平四郎は笑った。「あのでっかい奴に転がり込まれたんじゃ、おはつの家も難儀だ」

「でも、おはつちゃんは、それはそれは李太郎さんに懐《なつ》いているんですよ。李太郎さんがそばにいると、安心するようです」

弓之助は、自分は歳も近いことだし、何とかおはつの口をほぐせないかと、あの手この手で話しかけてみたそうだ。

「でも、てんでいけませんでした」と、かぶりを振る。「あれから時も経ち、おはつちゃんの首の痣《あざ》も消えていましたし、あの日何があったのか、ちょっとは聞き出せるのじゃないかと思っていたのですが」

「おまえのその顔でも、開かない扉があったってわけか」

「開かないどころか、扉そのものがございませんでした。とりつくしまがないというのは、まさにあのことです」

あまりしつこく食い下がるとおはつが泣き出してしまいそうなので、諦《あきら》めたという。

「小さい女の子のことだ。可哀想に、よっぽど怖くて、肝っ玉が縮んじまったんだろう。気を落とすな。そういうことだってある」

弓之助にも挫折はあるということだ。

はい左様でございますねとうなずいて、しかし、弓之助はさらに暗い顔をした。本日の弓之助行灯《あんどん》は油切れのようである。

そして唐突にこう言った。

「叔父上、わたくしは世間が狭い」

「何だ、おまえまで宗一郎のようなことを言い出しやがって」

だいたい、十三かそこらの子供に、世間も何もあったもんじゃねえ。

「わたくしが知っているのは、商人の家と、佐々木先生のお宅と、叔父上のこのおうちと、それぐらいのものでございます」

「おとよン家《ち》も知ってらぁな」

「とよ姉さまのおうちも商家でございます。それもかなり内証のよろしいおうちで」

弓之助は鼻白む。彼が何を言おうとしてるのか、察しがついたからこそまぜっかえしていた平四郎は、ふふんと笑った。

「小作人の住まう小屋というのは……貧しいものでございますね」

思い出し、思い浮かべているのか、弓之助の瞳の焦点が遠くなった。

「わたくし、畳の一枚もないおうちというのを、初めて見ました。壁の羽目板はすかすかで、どこに座っても隙間風が吹いてきます。土間は泥だらけで、庭とも呼べない荒れた庭先に、痩せっぽちの鶏がよろよろ歩いているのです。台所も、その、何と申しますか、ろくな道具がないのです。食べ物らしいものも見当たらないのです」

「だろうな」

「おはつちゃんの着物ときたら、わたくしの家では雑巾《ぞうきん》にしてしまうような古着でございました。いえ、おはつちゃんだけでなく、あの子のお父さんもお母さんも」

る。

だんだん小声になり、語る言葉の重さに引かれるように、どんどん前かがみにな

「子供たちは履物なぞ持っていません。みんな裸足です」

「長屋の子だってそうだ」

「それは元気で遊んでいるからで、買おうと思えばいつだって草履《ぞうり》のひとつぐらい買えるじゃありませんか」

「それは、おめえがまだ、本当に貧乏な長屋の子を見てないってだけだよ」

らしくもない、恐むような上目遣いになって、弓之助は平四郎を見た。平四郎は背中がぞわぞわしてきた。

「やめてくれ、その目つき」と、素早く起き上がった。「小作人の暮らしが苦しいのは、俺のせいじゃねえんだからさ」

江戸の町の近在の農家は、広く見渡すならば、けっして貧しい家ばかりではない。野菜や果物、鳥の肉や卵などを売りさばき、町場の下手な小商人《こあきんど》より、豊かに儲けている場合もあるほどだ。諸式調掛《しょしきしらべがか》りをした経験で、平四郎はそれをよく知っていた。

なぜかと言えば、江戸市中という大きな台所が、いつもがつがつと、旨い食材を求めているからである。珍しいもの、旬のもの、巷《ちまた》に出回っているより一段上等なもの、そんな食材なら、けっこうな掛け値を乗せても飛ぶように売れるのだ。

食べ物であると同時に「禄《ろく》」や「年貢」として金と同等の価値を持つ米では、そんな大胆なことはやれない。あくまでも副菜、贅沢品に限っての話だ。ただ、市中を囲む近在の農家のなかで、そういう需要に気付いて上手に立ち回るところが増えてきたのは、昨日今日の話ではない。

あれこれと工夫してさまざまな作物を育て、それを担いで市中まで売りに来る。その売り上げは現金だ。地主や庄屋から下される、わずかばかりの米とは違い、何かにつけてすぐものを言う金が手に入る。だから皆、なおさら熱心に工夫をこらす。猫の額でも、自作に回せる土地を持っていればやりようはあるのだ。

とはいえ、そんな水面まで顔を出すことなどまったくできない、働いても働いてもお上と地主に搾《しぼ》り上げられるだけの小作人も、やっぱり数多いのである。おはつの家は、そういうどん底のクチなのだろう。

「わたくし……少々取り逆上《のぼ》せてしまいまして」弓之助は声を振り絞る。「ほんの刹《せつ》那《な》でございますが、こんな苦しい暮らしをしている人たちの前では、誰が葵さんを殺そうが何が理由であろうが、そんなの、たいした問題ではないと思ってしまいました。いえ、本当に、おはつちゃんの身が危ないということさえなければ、葵さん殺しの下手人探しなど放り出して、おはつちゃんの家が少しでも楽に暮らせるにはどうしてあげたらいいのか、そっちの方にこそ頭を使いたくなりました」

握り締めたようなくしゃくしゃの顔をしている。依然、油の切れた弓之助行灯《あんどん》の頭を、平四郎はぽんと掌で打った。

「それはそれ、これはこれだ」と、穏やかに言った。「この世のことを、おめえ一人で全部背負《しょ》い込むわけにはいかないんだよ」

ちょっとの間、弓之助はしげしげと平四郎の顔を仰いでいた。そして言った。

「佐々木先生も、同じようにおっしゃったことがございます。まったく別の事柄についてでございましたけど」

「ふうん。いい先生じゃねえか」

「ただ、背負い込んではいけないが、忘れてもいけないと」

「とりあえずはな」平四郎はにっこりした。「ま、おはつの身は安全になったということだ。俺もほっとしたよ」

「はい、わたくしも」

弓之助が気を取り直したようなので、平四郎は話の梶《かじ》を切った。「それでおめえ、何か閃《ひらめ》いたかい？」

「何をでございます？」

「決まってるじゃねえか葵を殺した下手人さ。このあいだから、何やらぶつぶつ言ってたろ。怨恨にしちゃさっぱりしてるとか」

ああ——と、弓之助が間の抜けた声を出す。

「頼むよ。しっかりしてくれよ。何かこう、まとまってきてるんじゃねえのか、そのおつむりのなかでさ」

弓之助は、芋洗坂を訪ねる道中で政五郎に説明したのと同じことを、繰り返して語った。

「一風変わった通りモノ」平四郎は繰り返して嚙み締めた。「どんなふうに変わってるんだ？　今ひとつ、はっきりしねえぞ」

「はあ、それが」

ただの言い回しではなく、本当に奥歯にものが挟まったみたいに、弓之助は口をもごもごさせている。言いにくいのか。

「叔父上、この夏のまだ暑いころ、似顔絵扇子の一件がございましたよね？」

人気絵師の秀明《しゅうめい》が殺された事件だ。

「あのとき、謎解きの端緒《たんしょ》となったのは、おでこさんの聞き集めた昔話でございました」

おでこの記憶から、秀明《しゅうめい》の殺しと、よく似た形の事件が昔もあったことがわかったのだ。それが糸口になり、蓋《ふた》を開けてみれば、二つの事件は単に似ているだけでなく、因縁の糸で結ばれていたのだった。

「覚えてるよ。それが何か関わりあるのか」

「直に関わりがあるわけではないのですが」

弓之助とおでこは、過去に、葵殺しと同じ手口の事件がなかったか調べているというのである。

「手口って、手拭いで首を絞めてってことか」

「それだけではありません。葵さんは、ご自分が首に巻いていた手拭いで締められたのです。つまり下手人は、その場にあるものを使った。というよりもう一歩踏み込んで、葵さんがそんなふうに手拭いを巻いていたからこそ、殺しが起こったのではないかと」

平四郎は自分の喉のあたりに触ってみた。ここに手拭いがあって、それをぐいと摑まれて、引っ張って絞められて——

「要するに喧嘩《けんか》のはずみでとか、そういう意味か」

「喧嘩とも……言いにくいのですが。しかし発端は喧嘩かもしれません」

要領を得ない。海月《くらげ》を摑むようだ。そんなことを思うのも、秋の海を見てきたからか。

「まあいいや。ンで、見つかったのか、そういう例は」

弓之助はがっくりと首を垂れた。「上手くいきません。ぴんと来るのがないので

す。まだ暇がかかりそうです。あるいは、わたくしが間違えているのかもしれません」

思い出したように萎《しお》れてしまった。弓之助行灯に油を注ぎ足し、ついでに紙も張り替えてやった方がいいか。こっちからは見えないが、裏側が破けているようだ。

今日はひとつ旨いものでも食おうか——と、平四郎が言いかけたとき、あらあらあらとにぎやかな声が近づいてきた。用足しに出かけていた細君が帰ってきたのである。

「弓之助さん、来ていたんですね。まあ、今日も可愛らしい顔だこと」

敷居のそばにぺたりと座ると、平四郎と弓之助の間に漂っていたかすかな暗雲をものともせず——というか気付きもせず、細君はうらうらと明るい声を出す。

「まあ、それでしたらホント残念でしたわ。弓之助さんにも食べさしてあげたかったのに。桜花亭《おうかてい》が、本日売り切れでしたの」

何じゃそりゃ。

「大福餅ですわよ、あなた。覚えておいでになりませんの？　先月でしたか、到来物でいただいて、あなた、旨い旨いと五つも召し上がったじゃございませんか」

ああ、あの塩大福か。

「ですからわたくし、買いに寄りましたのよ。あなた今日は遠出からお帰りで、お疲

れでございましょ。それなのに、わたくしの目の前で女中が買っていってしまって、今日の分は売り切れでございますって」

「叔母上さま、叔母上さま」

弓之助が宥める。細君は小娘のようにいやいやをしながら悔しがっているのだ。

「その女中ときたら、二十個も買いましたの。ですからわたくし、言いましたのよ。もし女中さん、今日はわたくしも夫のためにぜひにと桜花亭の大福を買いに参りましたので、ほんの五つばかりでよございますから譲ってはくれませんかと。それなのにあの女中ときたら、これはおかみさんの言いつけで買いにきたからいけませんと、あなた、まあそれはそれは小面憎《こづらにく》いんですの！　こぉんなふうに口を尖らせましてね」

性根の曲がったひょっとこのような顔をしてみせる。弓之助は笑うより呆れている。

「京橋の伊勢《いせ》広《ひろ》という煙草屋だそうですわ。あなた、煙草の伊勢広でございますよ。お忘れくださいますな。もしあのお店で何かありましたなら、ぺしゃんこにしてやってくださいませね。一人で二十個も大福を食べるおかみがいるなんて、いずれろくな店じゃございませんもの」

不穏なことを言う。食べ物の恨みは深い。俺に食わせたかったんじゃなくて、てめえがよっぽど食いたかったと見える。

言いたいだけ言って、細君はふっと正気に返った。急に晴れた目になり、

「あら、お二人で何か大事なお話でしたの？　小平次はどこでしょう。お茶も出さずに」

「いや、大事な話って言えば大事——」

言いかけて、平四郎は思い出した。そうだ、煙草だ。

「弓之助、おめえ、さっき煙草のことで何か言ってたよな？」

細君が割り込む。「あらまあ弓之助さん、煙草はまだいけませんよ」

「わたくしが喫《きつ》するのではないので、ご安心くださいませ、叔母上」弓之助は愛想よくかわし、平四郎に向き直る。「はい、正しくは煙草ではなく、葵さんの座敷に漂っていた、佳《よ》い香りの正体について推察していたのでございますが、それが煙草であると考えることもできると」

平四郎はせっかちに遮《さえぎ》った。「細かいことはいいんだ。あのな、宗一郎は煙草に詳しくてな」

総右衛門はまったく煙草をたしなまないが、宗一郎は煙草好きなのだという。それがわかったのは、昨日の夜中までかかった長い話の間に、彼が妙にそわそわするときがあったからで、平四郎がいぶかると、実に申し訳なさそうな顔で、

——刻みを少々燻《くゆ》らせてもよろしゅうございましょうか。

と言い出したのだった。

平四郎は笑い、遠慮なんかすることないから、いくらでも吸えと言った。宗一郎は、目上のお方の前で煙管《キセル》を出すのは非礼だと、ずっと堪《こら》えていたのだという。

「総右衛門にそう教えられてきたそうだ。しかも、湊屋じゃ煙草呑みは宗一郎だけなんで、気の毒に、ずっと隠れて吸ってるって。だがその分、ひそかな楽しみってことで、いろいろ知っているんだよ」

そこで思いついた平四郎は尋ねてみた。まるで香のような、女が着物の袖に忍ばせる匂い袋のような香りの煙草はあるか、と。

「あるっていうんだ」

もっとも、江戸では珍しい。長崎から大坂を通って稀《まれ》に入ってくるだけだ。そもそもは唐渡《からわた》りの種類で、煙草というよりは香そのものに近く、だからけっして旨くはないが、なにしろ香りだけは高いので、女に好まれるという。

「やはり、あるんですか」弓之助は目をまん丸にしている。「葵さんも煙草呑みでしたよね？　ということは――」

「それなんだ」平四郎はぽんと膝を叩いた。「湊屋は到来物の多い家だ。時節によっちゃ、座敷がひとつといっぱいになるほど、次から次へといろんなものをもらうそうだ。そのなかに、たまに煙草が混じってる。湊屋が煙草を呑まないと知らない奴が持

ってくるんだな。宗一郎の見るところ、珍しいのも高価なのもある」

家のなかでただ一人、煙草を好む宗一郎だ。佳い品ならぜひほしい。が、大黒柱の好まぬものを隠れて吸っている手前、言い出せない。

「それでなくたって弱い立場だからな」

黙っているうちに、到来物の煙草はどこかへ行ってしまう。

「捨てられてしまうんですか？」

「さすがにそれはねえだろう。また他所《よそ》に回されるのかもしれないし、客にやっちまうのかもしれない。ただ、な」

たまに総右衛門が、それらの煙草のなかからとりわけ珍しそうなもの、包みの美しいものをいくつか選《よ》り出して、どこかへ持っていくことがある。いや、あったというのだ。

——どうせ、馴染みの女の誰かにやるのだろうと思っていましたが、葵さんが煙草をお好きということであるならば、あるいは、葵さんにあげるつもりで持っていったのではございませんか。

宗一郎が「葵さん」と呼ぶ口調は、下手な接木《つぎき》のようにぎくしゃくしていたが、その推察は真っ直ぐだと思われた。しかも、自分の好きなものに手を出せず、怖い親父殿がそれを懐に入れてしまうのを見ていたせいだろう、彼の記憶は確かだった。

——お香のような佳い匂いのする刻みといえば、手前が真っ先に思い出すのは、先ほども申しました唐渡りの品で、〝連枝薫《れんしくん》〟という銘柄がございます。紙包みや袋ではなく、掌に収まるような小さな平たい紙箱に詰められておりまして、箱の上に天女《てんにょ》の絵が描いてあるのです。

この夏、といってもそろそろ日暮《ひぐらし》の鳴くころだったが、湊屋総右衛門がそれを持って出かけるのを見たと、宗一郎は言うのである。

——おとっつぁん、珍しいものをお持ちですね。どちらでお求めですか。

そう声をかけたのだから、確かだという。

「総右衛門は、もらいものだと素っ気無く言っただけだったそうだがね」

総右衛門はその連枝薫を、葵にやったのではないか。葵はそれを手元に置いていた。殺されたときも、座敷にあった。煙草盆のなかに。葵は風邪気味で煙草を控えていたが、来客には出して勧めた。珍しい煙草に、来客は興味を惹かれて煙管《キセル》を出した——

だから匂いが残っていた。もちろん、その匂いを残した来客こそが下手人だ。おそらく。たぶん。間違いなく。

そのとき、平四郎はいきなりど突かれ、畳に転げた。

「あなた！」

細君の仕業《しわざ》である。叫んでいる。ぎょっとして起き直り、今度は声を失った。

弓之助が座ったまま白目を剥いている。

「弓之助さん、弓之助さん！　しっかり、しっかりなさい！　いったいどうしたの？」

細君が弓之助を抱き取り、揺さぶっては呼びかけている。平四郎は這うようにして二人に近づくと、細君の腕のなかから弓之助を救い出した。あのままでは揺さぶり壊されてしまう。

「おい、弓之助！」

白目がくるりと、元に戻った。

「お、叔父上」息を切らしている。

「うん、何だ？」

「そんな大事なこと、もっと早くおっしゃってください！」

言うなり、弓之助は鞠《まり》のように跳ね起きた。

「わたくし、見当違いなところを探しておりました。手口ではなく、匂いが問題だったのです。そうでございます。それをこそ探さなくてはなりませんでした！」

平四郎は、細君と並んで口を半開きにしている。

「おまえ、大丈夫か？」

「弓之助さん、熱があるのじゃないの」

弓之助は艶然と微笑んだ。「大丈夫でございます」

どこの誰に、いつ、こんな笑顔を教わったのだろう。髪結いの浅次郎が見たら、ひと目惚れが過ぎて道を踏み外すかもしれぬ。

「おでこさんのところに参ります。叔父上、今度こそきっと、確かな目筋をつけてごらんに入れますからね」

くるっと回れ右をする。帰るのかと思うと、またくるっと回ってこっちを向いた。

「叔父上、お願いがあります。お六さんでも久兵衛さんでもかまいませんが、葵さんの残した身の回りのものを片付けた方にお訊ねして、煙草盆のなかにどんな煙草が入っていたか、もう一度お調べいただけませんか」

「あ、ああ。お安い御用だ。そのれんしくんとかいうのがあればいいのか？」

弓之助は凜々《りり》しい顔をする。「いいえ、その逆でございます。連枝薫はないはずです。下手人が持ち去ったことでしょうから」

きっぱり言い切ると、走って座敷を出ていってしまった。途中ですれ違ったのか、小平次がうへえ、坊ちゃんお帰りでと言う声が聞こえてくる。

十六

井筒平四郎は、およそ策士とはほど遠い人物である。あれをああして、こいつをこう動かして、こうしよう――などという考えは、この男の頭に浮かんだことがない。ただ、暇なので夢想をすることはある。

弓之助が嵐のように去り、彼のおつむりのなかで何かが閃《ひらめ》き、その閃きに従って何かを探り出してくるのを待つしかなくなった今、平四郎はあれやこれやと考える。毎日のお勤めは変わらずに待っているが、これもともと暇つぶしに毛が生えたようなものなので――などと本音を言ってしまっては身も蓋もないが――頭は空《あ》いている。

そんな次第で、ぼうっと夢想した。

おはつを囮《おとり》にすれば、あっさりと下手人を挙げることができるよなぁ、と。

おはつに関する弓之助の推察があたっているならば、葵を殺した下手人は、おはつがいつ口を割るか、戦々恐々の思いで見守っているはずである。だからこそおはつを守らねばならぬのだが、そこを逆手にとっておはつを餌にすれば、下手人は得たりとばかり食いついてくるのではなかろうか。

平四郎がそれを思いついたのは、弓之助が駆け去って三日後の朝飯の時である。

ずいぶんと遅い。最初《はな》から思いついてもよさそうなものだった。

だからというわけではないが、食い終えて茶を飲むころには、その考えを捨てていた。

まず、それは汚い手だ。おはつのような頑是《がんぜ》無《な》い子供を囮にするなど、分別のある大人の、あるいは役人のやるべき事ではない。

平四郎は、おみねの情夫《いろ》の晋一を捕らえるとき、弓之助の従姉のおとよを囮にした経験がある。が、あの場合は事情が違った。おとよの身が危なくならないように、まわりをがっちり固めていたし、おとよの果たすべき役割は、きわめて狭いところに限られていた。着飾って背中を向けて、しおらしく座っていればよかったのだから。

だが、それでもおとよは傷ついた。

おはつの場合は、もっと危険だ。だいたい、餌にするといったって、どんなふうにお膳立てしていいものやら見当もつかない。どうやって守ったらいいのかもわからない。

下手の考え休むに似たり。爪楊枝《つまようじ》を使って、さあ市中見廻りに出かけるかと、小平次を呼んだ。

「どうなすったんです、旦那」と、小平次に訊かれた。「朝から、仔細《しさい》ありげなお顔です」

俺はわかりやすい顔をしてるんだなぁ。

「なあ、小平次」

「へえ」

「俺は暇つぶしは得手だが、つくづく、待つのは不得手だな」

小平次は丸い頭をちょっとかしげた。

「その二つに、何か違いがありますですか？」


立ち寄ったお徳のお菜屋《かずや》は、今日も繁盛の様子である。おさんが店先に出ており、お徳は竈《かまど》に網を載せ、なにやら焼き物をこしらえている。これ以上はないほど真剣なまなざしのお徳のすぐ脇にひっついて、おもんがお徳そっくりの顔つきになっているところが可笑《おか》しい。

ところで、一人足りない。彦一だ。おさんに尋ねると、

「今日は石和屋《いさわ》さんに行ってます」という。

「いよいよ板場のこしらえにかかったので、庖丁人の彦一さんが立ち会うそうです」

おや旦那と、お徳がようやくこっちを見た。

「何を焼いてんだ？」

「あなごですよ」

「そりゃ豪勢だ」

「難しいんですよ。脂が垂れるから」

太い両腕を腰にあてる。すかさずおもんも同じ動作をする。

「炭から炎が上がって、火が通る前に皮が焦げちまう。どうやっても彦さんが焼くようにならなくてさ。やっぱり腕が違うんだよね」

「年季だ年季。修業しろ、お徳」

忙しそうなので、邪魔しないことにしてぶらぶらと歩き始めた。と、角まで行ったところで後ろから袖を引かれた。振り返るとおさんである。色白だが黒子《ほくろ》の多い顔が、こっそりと平四郎を仰いでいる。

「旦那、ごめんくださいまし」

後ろを気にしている。お徳の目を憚《はばか》っているのだとわかったので、平四郎は建物の陰にすっと隠れた。小平次に促されて、おさんも寄ってくる。

「うん、どうした」

はい、あの、その、と、ひととおりへどもどしてから、おさんは小声で言った。

「弓之助ちゃんは、今日はどうしているんですか」

平四郎は笑った。「さぁなぁ。あいつに何か用かい？　言伝《ことづて》なら預かっとくぞ」

おさんの頬が赤くなった。「お礼を、言おうと思って」

「礼？」

「はい。あの、もう先《せん》、弓之助ちゃんからいただきものをしたんです。皆さんにはないしょですよって。弓之助ちゃん急いでたみたいだったから、あたし、ろくすっぽありがとうも言えなくて」

平四郎はピンときた。そうだあいつ、美顔膏《びがんこう》がどうたらこうたら言ってたじゃねえか。

「そうか。じゃ、伝えとくよ。おまえがほっぺたを染めて喜んでいたってな」

染まるを通り越して、おさんの頬は朱で塗りつぶしたみたいになった。平四郎はその肩をぽんぽんと叩き——痩せっぽちだったおさん、ちょっとだけ肉がついたようだ——行こうとした。と、またおさんが追いすがる。

「あ、旦那。まだあるんです」

また後ろを振り返り、さらに声を潜めた。

「今朝がた、彦さんに頼まれたんです。今日、旦那がお店にいらしたら、彦一が旦那に会いたいから、どこへ行けばいいですかって、聞いておいておくれって」

礼儀正しい彦一はたぶん、お目にかかりたいのでどこへ伺えばいいかお訊ねしてくれという言い方をしたのだろうが、ま、それはどうでもいい。

「それで、えっと、おかみさんにはないしょにって」

お徳も、手下に内緒にされる事柄ができてきた。しかも「おかみさん」だ。

「彦一は石和屋の普請場にいるんだろ？」

「はい」

「だったら俺がこれからそっちへ行ってみよう。ありがとうよ、おさん」

おさんは駆け戻っていった。小平次が呟く。「黒子は減っておりませんね」

「どんな美顔膏だって、塗ったらたちまち効くってもんじゃねえだろ。あ、しまった」

「何です？」

「石和屋の場所を聞くのを忘れた」

とはいえ、木挽町《こびきちょう》六丁目ということはわかっている。名のある料理屋だというから、近場で訊けばわかるだろうと、気楽に出かけた。

それでよかった。実は誰かに道を尋ねる必要さえなかった。今日は北からひんやりとした風が吹き込んでいる。六丁目の町筋にさしかかると、その風に巻かれて鉋《かんな》クズがふわふわと飛んでくる。その元をたどっていったら、造作なく石和屋の普請場に着いたのだ。

土台の上に柱が林立している。壁も半分がたは立っている。こぢんまりした建屋だが、造りは念がいっているようだ。木の香が心地よい。

大工や建具職人たちが立ち働いているが、彦一の顔は見えない。誰かに声をかけようかと思っていたら、すぐ右手の材木や瓦が積み上げてある陰からひょいと男が現れて、

「八丁堀の旦那？」と、驚いたような声をあげた。「何か御用でござんすか」

「おう、石和屋さんの人かい」

「へえ」男は両手を左右の膝頭にあてて、小腰をかがめた。目は用心深く平四郎を窺《うかが》っている。年頃は彦一よりやや上だろうか。顔色が妙にどす黒く、白目が濁《にご》っている。病みあがりかな、と、ちらりと思った。

「庖丁人の彦一に用があって来たんだ。今日はこっちに出張ってるって聞いたもんでな」

「彦一に？」

問い返す男の目が、こんな場合にはよくあることだが、嫌な感じに光った。平四郎は急いで言い足した。「なに、御用の向きなんて無粋なもんじゃねえ。俺は彦一の知己《ち き》でな。というより、彦一にはいろいろ世話になってるんだ」

さいですかと、男は慇懃《いんぎん》な感じでもう一度頭を下げると、身をひねるようにして、うしろの普請場に呼びかけた。

「おい、彦一。お客さんだよ。八丁堀の旦那が御用でお見えだよ」

やけに大きな声である。忙しげに動き回っている職人たちが、手を止めてこっちを見やる。え、お役人かい、何事だという表情だ。これでは彦一が後で困るだろう。平四郎は馬面をへらへらさせて、やあ立派な普請だな、精が出ることだ、などとお愛想を振りまいた。

声を聞きつけて、入り組んだ柱の奥から彦一が出てきた。平四郎の顔を見て、大いに驚いた様子だ。「あれ、旦那」

「おう、邪魔してすまん。こりゃまた立派な構えの店になるなぁ」

ありがとうございますと、彦一は笑顔になった。その笑みと、平四郎の弛緩《しかん》しきった馬面に互いの親しみを見てとったのか、職人たちの表情も緩んだ。

「へえ、大したもんだね、さすが彦一さんだ」

先ほどの男が彦一に声をかけた。言葉とは裏腹の皮肉な口つきだ。

「俺たちの知らないあいだに、八丁堀のお役人さまとも知己になってるとは。やり手だよ。おみそれいたしますよねえ」

誰が聞いてもそれとわかる嫌味である。彦一は、口元にわずかな笑みを残して、それを受け流した。「旦那、こっちはあたしの兄貴分で、石和屋の料理人の花一《はないち》です。よろしくお見知りおきください」

「花一と申します」と、挨拶した男の目に、今度は怒りが浮かんでいる。「なぁに旦

那、兄貴分なんていう上等なもんじゃござんせん。手前なんぞは下働きの、卑《いや》しい追い回しでござんすよ。彦一さんの腕前には、足元にも及びませんで」

さっきの皮肉は、出汁《だし》にたとえるならそれでも一度は濾《こ》してあったが、今度のは煮たまんまのぶつかけである。濁っている。不味《まず》いので、平四郎は飲み込まないことにした。

「おさんに聞いてきたんだ。忙しいところ悪いな」

「いえ、とんでもねえです。用ならひと区切りつきました。だけど、旦那にわざわざお運びいただいちまうなんて、おさんも気が利かねえ」

いいんだいいんだと、平四郎は手を振った。「じゃ、そのへんで甘酒でも飲むか」やりとりの間も、花一は蛇のような目つきでこちらを睨んでいる。平四郎はそれをまったく気にしないふりをして、邪魔したな、とさらに愛想を加えた挨拶を残し、彦一を引っ張ってその場を離れることにした。

むろん、甘酒屋のあてがあったわけではない。半町ばかり、平四郎はぶらぶらと急ぎ足という器用な歩き方をした。やがて目ざとく蕎麦《そば》屋を見つけたが、あいにく暖簾《のれん》はしまわれている。小平次はするりと戸を開けて声をかけると、すぐ空樽を借りて外に出てきた。店のまん前というのも何なので、横手の格子窓の下に樽を据え、平四郎は腰をおろす。また小平次が消えて、今度は蕎麦屋のおかみらしい女と一緒に、湯飲

みの二つ載った盆を持って戻ってきた。

「どうぞどうぞ、旦那。お役目ご苦労さまでございますねえ」

平四郎は喜んで湯飲みを取った。蕎麦茶である。こういうところ、小平次は慣れている。

「では、わたくしはひと足お先に」

とっとと行ってしまった。

「阿吽《あうん》の呼吸ってやつですね」と、彦一は感心している。

「おめえとお徳だってそうだろう」平四郎はからかった。「あなごを焼いて、難しい顔をしてたぜ」

「ああ」彦一の顔がほころんだ。「おかげで、ここんとこ毎日あなご飯です。贅沢を言っちゃいけないが、いささか胸が焼けます」

羨《うらや》ましい。

「ちょっと埃《ほこり》っぽいが、案外こんなところの方が、内輪の話には向いてるんだ。で、何があった」

湯飲みを口元に、彦一はつと黙る。

「おみねか。見つかったかい？」

彦一はうなずいた。

「旦那が川崎へいらした日の、もう陽が暮れたころでしたか。政五郎さんのところから お使いが来まして」

　その日は、おみねの居所がはっきりしたというだけだったので、あくる日、彦一は政五郎を訪ね、二人でそこへ赴《おもむ》くことになった。

「お徳には内緒だったんだな？」

「はい。とにかくおみねさんの様子を確かめてからにしようと」彦一は喉をごくりとさせた。「今もまだ、お徳さんには話しておりません」

　だろうと思った。

　政五郎の話では、元の亭主の仙吉が、おみねがあてにしそうな男たちを教えてくれたので、見つけ出すまでに、そう手間はかからなかったのだそうだ。

「おみねさんは今、昔の馴《な》染《じ》み客の世話になっておりました」

「馴染み客ってのは、角屋《かどや》のか？」

「はい。ただそのお客も、最初の手がかりになったお客と一緒で、石和屋もご贔屓《ひいき》をいただいたことのあるお店《たな》のご隠居でしてね」

　世間は狭いというより、仕出しを頼んで花火舟で遊んだり、気楽に料理屋を使うほど金のある者は、いくら江戸が広いといっても、やはり限られているということなのだろう。そんな贅沢のできる連中は、上澄みのほんのひと握りでしかないのだ。

「それなんで、政五郎さんもお徳さんを置いて、真っ先にあたしに話してくだすったんです」

そのご隠居は還暦を過ぎた爺様《じいさま》だが、金に不足はないらしく、またかねてからおみねに思し召《おぼめ》しがあったのがかなった事情もあるらしく、今のおみねは籠《かご》の鳥ではあるものの、結構安楽に暮らしているという。

「やっぱり、しぶといねえ」平四郎は嘆息した。感心が半分、呆れるのが半分だ。

「男はバカだなぁ。爺《じじい》になってもバカだ」

思わず、そう言ってしまった。

「まあしかし、ご隠居も幸せ、おみねも幸せだってンなら、四の五の言うこともねえか」

ご隠居の話では、おみねが転がり込んできたのは半月ばかり前のことであるそうだ。そのときはまさに尾羽《おは》打ち枯らし——という様子で、三日も飯を食っていないと本人が言っていたという。

「ご隠居さんは、すらすら話してくれたのかい？」

「はい。実はおみねさんの行方を心配して探している者がいる、というと、おみねさんを連れて行かれると思ったんじゃないですかね、おみねは好きでここにいる、ずっとご隠居と暮らしたいって言ったと、それはもう青くなったり赤くなったりのあわて

ようで、洗いざらい打ち明けてくれました」

やっぱりバカだ。救いようがねえ。

「ですから、あたしらが訪ねてきたことは内緒にしておくそうです」

「当然だな。舌を引っこ抜かれたっておみねには教えねえだろう。いや、舌を抜かれたらしゃべれねえか」

ご隠居を頼ってきたとき、おみねはきっちり一文無しだったそうだ。お菜屋を捨てるときには有り金持って出ているのに。

「何に使ったかな」

案の定、晋一を助けるために、無駄金をどぶに捨てたか。

「ご隠居もそれは知らないようでした」

しかし平四郎は安堵した。これでもう、おみねのことを思い煩《わずら》わなくて済む。

平四郎がいちばん恐れていたのは、おみねがすっからかんになった挙句、夜鷹《よたか》や飯盛りにでも身を落としていることだった。あるいは短いあいだに身体を壊して病みついて、野垂れ死にしかけていることだった。それを知ったなら、どうでもお徳が放っておくわけはないからだ。

おみねが金持ちのご隠居の手活《てい》けの花になり、結構な身分で世渡りしているのなら、何の心配もない。おみね本人だって、今さら幸兵衛長屋に戻ってきてお菜屋を切

り盛りする気なんか、切れっぱしも持ち合わせちゃいないだろう。ちょっとでもその気があったなら、もっと早くに戻ってきたはずだ。

「で、お徳にはどう言う？　本当のことを言って、もうおみねのことは気にするなと説教のひとつもくれてやるか。それとも、探したが見つからなかったと言うか。俺としちゃ、それでもいいと思うがな。もうおみねがお徳の前に現れる気遣いはねえんだから」

もっとも、現れたらそのときはそのときで、おみねの消息と、その後の暮らしぶりがはっきり知れた今となっては、いくらでもあしらいようが出てきた。おみねがご隠居にたかって遊んで暮らしているあいだ、置き去りにされたおさんとおもんの面倒を見てきたのはお徳だ。見るに見かねて、親切心からやってやったことである。欲得ずくではない。お徳の言い分を引き受けて、町方役人としての顔で、せいぜい俺がおみねを脅かしてやったっていいんだと、平四郎は思う。

「お徳さんには……はい、本当のことを話してもいいと思うんですが」

彦一は妙に歯切れが悪い。

「それでさっぱりだ。いいじゃねえか」

「でも、あのままおみねさんを放っておくのも、ちょっと難な気が」

平四郎は目を剝《む》いた。彦一は片手で湯飲みを握り締め、自分の爪先に目を落として

いる。そしてうわ言のようにだらだらと言い出した。

「おみねさんにとって、あれが幸せじゃないでしょう。あの人はお菜づくりの腕があるんだし、歳だってまだ若い。それがあんな好きものの年寄りに囲われて玩具《おもちゃ》にされて——」

「おい、彦一」

「そりゃ、ちょっと道は違えたかもしれませんが、俺は、旨いものを作る女に、芯から性根の曲がったのはいないと思うし」

「おいおい、彦一」

「あの助平爺は、そりゃ自分の好きなようにしているから、さもおみねさんが幸せなようなことを言ってましたけども、そんなはずはありゃしませんよ、旦那。だっておみねさんは昼っから酒びたりで——」

「彦一」平四郎は彼の目の前でぱんと手を打った。「目を覚ませ」

彦一は、本当に居眠りから覚めたかのようにぱちりと目をまたたいた。平四郎は彼に顔を近づけた。

「おめえ、おみねに会ったのか」

彦一はのけぞるようにして避ける。「い、いえ、会っちゃいません」

「でも顔を見たんだろう。様子を見たんだな？」

「その、ちょっと……垣根越しに。あの爺さん、それしか許してくれなかったもんで」

おみねは佳《い》い女だ。毒気のある花ほど美しく、腹に悪い果物は甘い。

「このことを政五郎と話したか？」

「へ、へえ」

「そしたら政五郎が、お徳に何か言う前に俺に会えと言ったんだな？」

「はい」

政五郎も今の俺と同じで、さだめし、呆れ返ってへそがあっかんべえをするってなもんだったろうよなぁ。

毒婦というものは、本当にいるのである。おみねがそれなのである。垣根越しに見ただけの彦一に、すっかり憑《とりつ》いてしまった。

「やめとけ、彦一」

「でも旦那」

「おみねが結構な暮らしをさせてもらいながらもべろべろ酒を食らわなくちゃいられねえのは、助平な爺に囲われてるのが辛いからじゃねえよ。昔の情夫《いろ》を忘れられねえからだ。この情夫ってのがまたとんでもねえ野郎でな。俺と政五郎がよってたかってお縄にしたんだから、間違いねえ。性根の腐った男だった。だけどおみねは惚《ほ》れて惚

れて、すっかり入れあげてたんだよ」

彦一の浅黒い顔から、心なし色が抜けた。

「そいつは間もなく打ち首になる」

「そんな重い罪に？　何をやらかしたんです」

「人殺しだ。女を騙《だま》しちゃ金を吸い上げ、足手まといになったら捨てるか片付ける。そういう奴なんだ」

彦一は蒼白になった。「じゃ、おみねさんも？　おみねさんも騙されていたんですね」

平四郎は心のなかで天を仰いだ。ああ、俺もバカだ。人殺しだ、で止めておけばよかった。全部言うから、彦一はまたおみねに同情しちまったじゃねえか。

「それでも、おみねが自分ではまった罠《わな》だよ」

「そんなように仕向けられていたんですよ。挙句に今みたいなところまで落ちちまって」

彦一が勢い込んだはずみで手がすべり、湯飲みが足元に落ちた。砂地に蕎麦茶がしみこんでゆく。彼はそれを拾い上げもしない。目の焦点が飛んでしまっている。

「何とかして……やらなくちゃ。誰かが面倒をみて」

「おみねの面倒なら、助平なご隠居がみてる。おめえが何とかしなくちゃならねえの

は、お徳の店だ。おまえ、てめえからお徳の助っ人に名乗りをあげたことを忘れたか？」

平四郎の声が高くなったので、通りがかりの振り売りがちらっとこちらに目を投げた。

「お徳にお菜屋をやれって、励ましてその気にさせたのもおめえだ。それを今さら、今度はおみねを何とかしてやりたいだと？　ふざけるな」

彦一の下顎がかすかに震えている。

「右手でお徳を、左手でおみねを抱えてどうするつもりだ。言っとくが、あのお菜屋のおかみに、二人を並べて据えるわけにはいかねえんだぞ。それともおめえ、お徳の店からはさっさと手を引いて、石和屋に戻って庖丁人をあい勤めあそばそうって気か？　そうでもしなきゃ、おみねの面倒はみれねえからな」

平四郎がまくしたてるので、行商人らしい男とお使い帰りらしい小僧が立ち止まっている。平四郎がそっちを見ると、二人はあわてて歩き出した。

「あたしは、ただ」

深くうなだれ、震える声で彦一は呟いた。「おみねさんが気の毒だと思うだけです」

「どんなに気の毒でも、ありゃ自業自得だよ。本人が知っててそっちへ行ったんだ。

誰が無理強いしたわけでもねえ。そいつはおみねの気の毒じゃなくて、おめえの身の毒だ。早いところ水にさらして抜いちまえ」

何度か弱々しく拳を握ったり開いたりして、自分の冷汗を握りつぶした挙句、彦一はじくじくと言った。

「だけど旦那、おみねさんをあんなふうにしておいたなら、囲ってるご隠居さんの方だって、今に困りゃしませんか」

意味がわからん。平四郎は目をぱちくりさせた。

「ご隠居さんには子供も孫もいるし、だいいちお店がある。おみねさんがべったりとご隠居さんにくっついていることで、お店の方に迷惑がかかることだってあるでしょう。ああいう、金のかかりそうな女《ひと》ですし」

平四郎は最初に呆れ、次に怒っているわけだが、ここに来てまた呆れる方へと戻ってしまった。何だ何だ、彦一のこの言い分は。

「おめえ、たったいっぺん会っただけの助平爺の身の上や、爺の身代《しんだい》の心配までしてやる気か？　お節介もほどがあるぜ」

「ご隠居さんは石和屋のお客です」

「だけどおめえは石和屋をやめるんだろ？」

彦一は黙ってしまう。平四郎は彼のうつむいた貧相な顔を睨みつけながら返事を待

った。

「所帯を持たせて、ちゃんとした暮らしをさせてやったら、おみねさんはまた立ち直りますよ」

小声だが、炊き損じの飯のように芯に硬いもののある口調で、彦一はそう言った。

一流の料理人らしくもねえ。

「だからおめえがその所帯を持たせてやろうっていうのか、おみねに。え？　そういう存念か？」

ひと呼吸おいてから、

「いけませんか」

彦一はきっと面を上げた。「そしたらおみねさんも立ち直れるし、俺もやり直せる」

平四郎は息を止めた。次に息をするときは二つにひとつだ。怒鳴るか、ため息をつくか。

が、結局は笑い出してしまった。彦一の顔が強張るのはわかったが、笑いが止まらない。

「あ〜あ」さんざん笑ってから、やっとため息が出た。「男ってのは、しょうがねえ」

懐手をすると、平四郎は背中を丸めた。風が吹き抜けて、ちっとばかし寒い。

「なあ、彦一。これは俺の勘ぐりすぎなんだろうけどさ、ひとつ教えちゃくれねえか」

尋ね方が難しい。弓之助がいればなぁ。

「おめえ、何かあったのか？　あったのかってのは昨今のことじゃなくてさ、そもそも石和屋をやめようってところから、おめえ、何かおかしくなってンじゃねえのかな」

おや、的の真ん中とは言わずとも、ツボにあたったらしい。彦一の痩せた肩が、ひるんだように動いた。

「おめえ、お徳に言ったそうだな。長年修業して、どんだけいい料理人になったって、あたしの親兄弟は石和屋の料理を食うことなんかできねえ。そんな料理ばっかりつくっていることが嫌になってきたって。だからお徳の煮売屋を見て羨ましくなったって」

おそるおそるというふうに、彦一はうなずく。

「お徳にも、おめえのその気持ちはわかる。だけど、だからって石和屋での仕事をからっと棒に振るのはあわてんぼうのすることだ、いつかきっと後悔するって、心配してたよ」

「そうですか……」

「だけどさ、おめえが石和屋をやめたいっていう理由は、それだけじゃねえんじゃないのか。俺はさっきから、どうもそんな気がしてきてならねえんだ。だっておめえの——何ていうかな、これまでの暮らしと縁を切りたい、自分の行く道を変えたいっていうのは、どうもしゃにむに性急でさ、何かこう、まるでどこでもいいから違うところに逃げていこうってな、そんな感じがするんだ。おみねと所帯を持とうなんて突飛なことを思うのも、根っこのところにそんな、おめえを悩ませてる別の理由があるからなんじゃねえのか」

今度こそ的中のようだ。彦一はぎゅうっと両手を握り締めている。

「おめえさっき、俺もやり直せるって言った。確かにそう言ったぞ。いったい、何をやり直すっていうんだ。俺の目から見たら、いやお徳だってそうだろうがよ、おめえにはやり直さなくちゃならねえような仕損じは、これっぱかしも見当たらねえのに」

彦一は身を硬くしている。平四郎は、空になった湯飲みを手の中で転がしながら黙っていた。

「お徳さんも目がいいけど、旦那もさすがですね」

言い出したとき、声が今までと違っていた。いつもの彦一に戻りかけている。

「お徳さんにも、何度か説教されたことがあるんです」

――あんた、何をそんなに急いでるの。あたしたち赤の他人のために、損得抜きで働いてくれるのは有難いよ。有難いけど、でもあんた、本当にそれでいいのかい？　あんた、まるで悪いことをして、誰かに追っかけられてでもいるみたいだ。それが辛いから、あたしらに一生懸命よくすることで、何とか勘弁してもらおうとでもしてるみたいだよ。

うん、お徳はやっぱり人を見る目がある。平四郎が言いたいのも、そういうことだった。

「さっき旦那にお目にかかった、あたしの兄貴分の花一ですが」

「うん」

「嫌な口つきで、嫌なことを申しましたでしょう」

「そうだな」

「昔はあんな人じゃなかったんです。あたしには頼りがいのある兄貴でしたし、気風《きっぷ》はいいし腕もいいし、本当に申し分のない料理人でした」

「あんなふうな僻《ひが》みっぽい野郎になったのは、病気でもしたからか？　俺には、あいつは病みあがりに見えた」

彦一は首を振った。「あの顔色は酒のせいです。もともと酒は好きでしたが、無茶飲みするようになったのは、そう、この一年ばかりのことで」

「石和屋が焼けたせいか」

「いえ」彦一はちょっと息を呑んでから、言った。「あたしが石和屋の庖丁人に選ばれてからこっちのことです」

庖丁人は、ひとつの料理屋にただ一人。料理人のなかでいちばん偉い、頭である。

「そうか、おめえは兄貴分を追い抜いちまったんだな」

うなずくことも辛そうに、彦一は顔を歪めた。「あたしを庖丁人に決めたのは、旦那とおかみさんです。否やと言えるもんじゃありませんが、あたしはずいぶん断りました。花一兄貴を差し置いて、どうしてあたしが上座に座れるもんですかって。だけど旦那もおかみさんも、腕も客の人気もおまえの方が上だって、聞き入れてくださらなかった」

そして、花一は荒れるようになったというわけなのか。

「あんな兄貴を見るのは、あたしには耐えられないことです」彦一の声が潰れる。「立派だった兄《あに》さんが、あんな僻目《ひがめ》をして、ガキみたいな意地悪な言いがかりをつけて、酒が過ぎるから腕も落ちるし、板場の下の者たちへの睨みもきかなくなる。お客の信用も落とす。どんどん転がり落ちるばっかりで」

見ちゃいられなかった――と、本当に片手で目を押さえた。

そんな折も折、石和屋がもらい火で焼けた。いっとき、板場の者たちも離散するこ

とになった。

「これは何かのお導きだと思いました。だからあたしは、石和屋から引こうと思ったんです。お店がちゃんと修繕されたら——ここまで育ててもらった恩は恩ですから、お店が困っているときにほっぽって逃げるわけにはいきませんからね——そしたら、暇をもらって、花一兄さんを庖丁人に据えて、新しく商いを始めてくださいって、手をついて旦那とおかみさんにお頼みするつもりでいました」

やっぱり、彦一は逃げていたのだ。石和屋から。花一から。兄弟子を蹴落として、思いがけず上り詰めてしまった庖丁人という立場から。

「ただ、煮売屋の店先で、お徳さんに言ったことは、嘘やでまかせじゃありません。ああいうことは、庖丁人になる前から、ずっと心のどっかに引っかかっていました。料理屋の料理人の仕事なんて、所詮《しょせん》、限られたお客のためだけのものです。世の中の大半のお人は、あたしらがどんだけ腕をあげようと、そんなものには縁がねえ。寂しい仕事じゃねえかと、ときどき、ふっと酔いが醒《さ》めるみたいに思っていたもんでした」

「だけどそれだけでは、石和屋をやめようとは思わなかった。だろ？」

彦一は目をつぶって下を向く。

いつの間にか、平四郎は蛸《たこ》のように口を尖らせていた。そういえば、たまに弓之助

がこんな顔をする。うつってしまったか。

ぶうっと、そのまま息を吐いてみた。

「おめえの一生も、おめえの生業《なりわい》も、おめえの暮らしも、おめえが決めることだからさ」と、平四郎は言った。「端《はた》からとやかく言うことじゃねえ。だけど彦一、俺はやっぱり、おめえは考え違いをしてると思うよ」

お徳ならどういう言い方をするだろう。それを考えた。

「おめえ、花一があんなふうになっちまったのは、自分のせいだと思ってるだろう。兄さんに悪いことをしたと思ってるんだろう」

「だって旦那、あたしはさんざん兄貴に世話になったんですから」

「それはそれ、これはこれだ。だって、兄弟子が弟弟子の世話を焼くのはあたりめえじゃねえか」平四郎はきっぱりと言った。「そんなおめえに追い越されたのが悔しくて、花一が転がり落ちたのは、自分で落ちたんだ。僻目になったのも、酒に溺れたのも、自分でそうしたくてなったんだ。おめえが仕向けたんじゃねえ」

彦一の声が跳ね上がる。「だけどあたしさえ庖丁人にならなけりゃ――」

「職人なら、腕の良し悪しに差がつくのは覚悟の上のはずだ。たとえ目下の弟分にでも、自分がさんざん面倒みてやった奴にでも、追い抜かれることだってある。だけど花一は、いい大人のいい職人のくせしやがって、一年もかかってまだそれがわからね

え。それは誰のせいでもねえ。花一本人のせいだ」

手前の潰れた面目を、悔しい思いを、無念を、自分のなかで何とかして、そこからどうするかを考えるのは、花一にしかできないことなのだ。誰も代わってやれない。彦一が引き受けてやることなどできない。

「おめえはそこを考え違いしてる。花一は花一、おめえはおめえだ。石和屋の主人とおかみは、それをわかってる。だから、おめえを選んだ。主人とおかみは、花一に、料理人としてのそういう覚悟のないところがあるとわかるから、あいつを庖丁人の座には据えなかったんじゃねえのかね」

そうやって、花一を鍛えようとしているのかもしれないとも、平四郎は思う。だとしたら、花一は主人とおかみのその想いをも裏切っていることになる。

「おみねのことだってそうだよ」と、平四郎は続けた。「しつこく言うが、あの女がああなったのは自業自得だ。だけどおめえは、花一のことが後ろめたいばっかりに、目が曇ってる。おみねの後ろに、花一の顔がちらちらする。だから、てめえから身を落として転がり落ちてるような女を、何とかしてやりたいなんて了見を持つんだ」

でも、少しほっとしたよと、平四郎はにやにやした。彦一が訝《いぶか》しそうに仰ぎ見る。

「おめえがおみねに惚れて、頭に血が昇っちまったんだとしたら救いようがねえと思ってた。だが違うもんな。おめえはおみねなんぞ見ちゃいねえ。見てるのはてめえの

後ろめたさばっかりだ」

「あたしの……後ろめたさ」

にわか阿呆《あほう》が入ったように、彦一は繰り返した。「後ろめたさですか」

「そうさ。他に何があるってんだ」

平四郎は腰を折って彦一の足元に転がっている湯飲みを拾い上げ、自分の分も一緒に持って、立ち上がった。

「花一は花一の、潰れた面目をどうにかする。おめえはおめえで、その後ろめたさをどうにかする。辛いこったが、頑張るんだな。これぱっかりは、誰も手伝っちゃやれねえ」

そして、行きかけて足を止めた。好いことを思いついたのだ。

「だけど彦一。もしもおめえが、男一人も寂しいから所帯を持ちたいというんなら、俺にはちょっと妙案があるぞ」

ぽんとお六の顔を思い浮かべたのだ。

「好《い》い女を知ってるんだ。器量も色気もおみねには劣るが、その分、気立てのいい働き者だ。お菜づくりもできるしな。うん、おめえとならいい夫婦《めおと》になりそうだ。ただなぁ」

と、頭をかいた。

「こぶつきなんだよ」

「こぶ……ですか」彦一はすっかり気を呑まれているようだ。「こぶ、いくつで」

「二つだ。どっちも可愛い女の子だぞ」

女手ひとつで子供二人を育てているお六だ。彦一が男気《おとこぎ》を出して何とかしてやりてえと思うには、不足のない相手ではないか。

「気が向いたら俺に言ってくれ。いつでも引き合わせてやるからな」

言い置いて、蕎麦屋に湯飲みを返しにいった。さっきのおかみが出てきて、あら旦那、お役目でも、さっきはまあ愉快そうにお笑いでしたねえと愛想を言う。うん、愉快だ愉快だと受けておいて、平四郎は外へ出た。

彦一の方を振り返らずに、歩きだした。幸兵衛長屋に向かった。何を言うつもりもないが、お徳の顔を見たくなったのだ。

が、しかし。そこへたどりつく以前に、別の顔を見てしまった。

走っている。転げるように走ってくる。弓之助である。生人形のような顔を突っ張らせて、息をあえがせて走ってくる。

「お、叔父上、叔父上！」

両手を前に、何歩か駆け寄った平四郎の身体にぶつかってきてすがりついた。

「ああ、よかった見つかって。大変なことになりました」

血の気の失せた弓之助は、平四郎の袖をつかんでぶんぶんと揺さぶる。

「わたくしと、芋洗坂へ行ってください。すぐ参りましょう。お願いします」

「何だ、何があったんだ」

揺さぶる弓之助をぐっと押さえた。身体の揺れは止まったが、弓之助の頭はまだぐらぐらしている。

「お、お、おはつちゃんが」

「おはつがどうした？」

「さ、さわられました！」

舌を噛みそうになりながらそう言って、ああ違う違うと地団駄《じだんだ》を踏む。「さわ、さわ」

「さらわれました、旦那！」

新手が来た。政五郎である。やはり走ってくる。息は乱れていないが汗をかいている。

「弓之助さんは足がお速い」

「おはつがさらわれた？」

怒鳴るように問い返す平四郎に、政五郎はうなずいた。

「法春院で姿を消したのです」

手習い所だ。まだ通ってたのか。

「杢太郎は何してやがったんだ？」

「お話は後です、叔父上」弓之助がぴょんぴょん飛び上がる。「わたくしには、おはつちゃんがどこに連れ去られたかわかっております。はい、まず間違いはございません！」

「本当か？」

「はい！」弓之助は血の気を失っているだけでなく、涙目になっている。

「誰の仕業かもわかっております。ですから叔父上、お急ぎください。何とかして助けなくては」

わたくしがグズグズしていたのがいけないのですと、独楽《こま》のようにくるくると回る。こんなに取り乱す弓之助は初めてだ。平四郎はもう一度、今度はしっかりと抱きとめてやった。

「私の手下《てか》を先に遣ってあります」政五郎が請け合った。「杢太郎たちと一緒に、もう向かっておりますから」

「どこに？」

「葵さんのお屋敷ですよ、叔父上。あすこより他にはあり得ません。ですから叔父上、急ぎましょう！」

十七

弓之助を膝に乗せて駕籠に揺られ、芋洗坂へと急ぐ。佐吉が葵殺しの下手人として捕らわれたあの夜を、そっくりそのまま繰り返しているかのようだ。目先がちらちらするほど心が騒いでいるのに、事情がよくわからないというところまで同じである。

「本当に、わたくしは粗忽者《そこつもの》でした。迂闊《うかつ》でした。おはつちゃんに何かあったら、わたくしのせいです。どれほど悔やんでも悔やみきれません」

弓之助は泣き顔で袖を噛んでいる。この分では、向こうに着くまでに噛み切ってしまうだろう。平四郎は彼の歯のあいだから袖を引っ張り出し、

「そんなうわ言を言ってる間に、俺に説明しろ」と、声を厳しくして命じた。「おめえはしっかり者のはずだ。あとで思い出して恥ずかしくなるようなうろたえ方をするんじゃねえ」

弓之助は殊勝にはいと答えた。一生懸命息を吸ったり吐いたりして、気を落ち着けようとしている。

「おはつが法春院から姿を消したと言ったな？　それは確かなのか？」

「はい、間違いございません」

「手習いには、ずっと通ってたんだな」

「いつも杢太郎さんがそばについていたのです。行きも帰りも、お教室でもぴったりと張りついて、ですから何の心配もないはずでございました」

いつもどおり手習いは四ツ半（午前十一時）に終わった。ただ八ツ時（午後二時）から晴香先生が、女の子たちだけを集めて運針《うんしん》を教えるという。以前からときどきあることで、おはつも習っていた。そこで杢太郎はいったんおはつを連れて帰り、八ツ前にまた法春院へと出直していった。

「お針の稽古は七ツ（午後四時）に終わりました」

そこまでは何事もなかった。杢太郎は、おはつと一緒に雑巾を縫ったりしていたそうである。

晩秋の日は短い。空は茜色も薄れかけ、間もなく陽が暮れる。杢太郎はおはつをせかして帰りかけた。と、おはつが手洗いに行きたがった。寺子屋には厠《かわや》がない。寺の本堂裏のを使わせてもらうのだ。だから杢太郎はおはつをそこまで連れて行き、おはつが恥ずかしがるので、その場を離れて本堂脇の横道のところで待っていた。

待っても待っても、おはつは出てこない。

不安になってきて、杢太郎は厠へ行った。おはつの姿はない。あわてて寺子屋へ行くと、晴香先生はまだいて、後片付けをしていた。おはつはそこにもいなかった。

「杢太郎さんは、転げるように自身番へ帰りました」

さて、万事に気がきく政五郎は、杢太郎がおはつのそばに張り付くことになったとき、彼の手伝いをさせるために、自分の手下を一人、芋洗坂の自身番に遣《す》っていた。杢太郎もおはつにかかりきりでは、他のお役目がおろそかになる。それを助けさせようというのと、もしも何か起こったときには、手下を通して真っ先に政五郎のところに報せがくるように——と考えたのだ。

政五郎の手下は、うろたえて度を失っている杢太郎を叱咤《しった》しておはつ探しの段取りを整え、それから本所へすっ飛んで戻ってきた。

「そのとき、わたくしはちょうど政五郎さんの家にいたのです」

弓之助はおでこと二人、思案に額をつき合わせていたところだったのだという。

「話を聞いて、わたくしにはすぐに、何が起こったかわかりました。だから政五郎さんにお願いして、手下の方に葵さんの屋敷へ行ってもらったのです。おはつちゃんは必ずそこに連れていかれているはずですから」

駕籠が揺れて弓之助が転げそうになったので、平四郎は支えてやった。

「ということは、その時おめえにはもう、葵殺しの謎解きができていたんだな？」

弓之助はうなずいた。形のいい頭が駕籠の揺れに連れて上下する。

「ただ、下手人を明らかにする手順をどんなふうにしたらいいか、それを決めかねて

いました。とても難しい……なにしろあるのは推量ばかりで、決め手になるものがございませんから」

両手で目を押さえて、弓之助は唸《うな》るような声を出した。

「その弱気が仇《あだ》になりました。もっと早く手を打っておけばよかった。おはつちゃんの法春院通いをやめさせておけばよかったのです。でもそれだと、晴香先生に疑われるかと」

「寺子屋の先生に？」

「はい。晴香先生は気を尖らせているはずですから、ちょっとでもいつもと違うことがあると、さてはと悟ってどこかへ逃げ出してしまうのではないかと思ったのです。だから、ぎりぎりまで伏せておいて、何事もなかったかのように、おはつちゃんを法春院へ通わせておいた方がいいと思いました。杢太郎さんがついているんだから大丈夫だと」

平四郎はしばらく黙って駕籠に揺られた。今、この耳で聞いた事柄がはらわたに染み込むまでの間。

「弓之助」

「はい、叔父上」

「おまえの今の言い様だと、晴香先生が怪しいように聞こえるんだがな。俺の聞き違

いか？」

弓之助はぎゅっと身を硬くした。「聞き違いではございませんよ、叔父上。晴香先生が下手人なのです。葵さんを絞め殺したのは晴香先生です。そして、芋洗坂のあのお屋敷から立ち去るところをおはつちゃんに見られ、これはいけないと、おはつちゃんの首を絞めて脅かしたのも晴香先生です。今の今、おはつちゃんを連れ去り、今度こそ口をふさいでしまおうとしているのも晴香先生です」

平四郎は返す言葉を持たなかった。

弓之助はまだ両手で顔を覆ったままだ。

「わたくしがそれと悟ったのは、三日前、叔父上から煙草の連枝薫《れんしくん》のことを伺い、これまでおでこさんと二人で聞き歩いた様々な昔の事件を、洗い直した後のことでございます。本当に確信したのは、つい昨日のことでございました」

恨み言でも並べるように、低い声で、早口で続けた。「昨日の段階で、叔父上と政五郎さんに打ち明けて、そして杢太郎さんにもお知らせしようかとも思ったのです。でも、さっきも申しましたが、わたくしが持ち合わせているのはわたくしの推量だけです。すぐ信じていただけるかどうか、自信がなかった」

ですから策略を練っていたのです——と言う弓之助は、すっかり萎《しお》れている。だから後手に回ってしまったのです。

問い質したいことはいろいろあった。だが平四郎も頭が混乱してしまい、しかもえいほえいほと揺さぶられるので、考えがまとまらない。

「すみません、叔父上」弓之助は首をひねって平四郎の顔を見た。「きちんと順序立ててお話ししなくては、何が何だかさっぱりですよね？」

「うん、正直言うと、俺にはおまえの言うことがまるでわからん。何で晴香先生が下手人なんだ？」

だがな、と平四郎は弓之助の頭を撫でた。

「俺はおめえのおつむりを信じている。だから、自信がないなんて言わないで、おめえの考えたことを、俺に教えちゃくれないか」

「はい」弓之助は前を向いた。そして駕籠のなかの平四郎の膝の上という不自由な場所で、できる限りきちんと背中を伸ばした。

「わたくしは先《せん》から、葵さん殺しは通りモノに憑《とりつ》かれた人の仕業《しわざ》、もののはずみで起こったことだと考えておりました」

「うん、それは俺も承知している」

「たいへん不幸なはずみです。ではどんなはずみであったか」

弓之助は、ある種の偶然が、あのときあの場で起こったのではないかと考えた。

「葵さんを殺した下手人は、葵さんに意趣《いしゅ》を抱いていたわけではなかったのだろう。

ただあの日、芋洗坂のあのお屋敷の、あの座敷に座っていた葵さん——下手人となった人物と、相対していたときの葵さんに、何かしら、下手人の心を騒がせるものがあったのだろうと思いました」

平四郎は尋ねた。「その人物は、来客だよな？」

「はい。お六さんが忙しく立ち働いているあいだに、屋敷の前なり脇なりを通りかかり、ちょっと立ち寄って葵さんと顔を合わせ、座敷に招じ入れられた来客です。おそらく、庭を回って縁側から上がったのでしょう。あのお屋敷は、そんなふうにしてすいと奥の座敷まで入ってしまうことのできる造りになっています」

それは平四郎も知っている。

「葵さんと、その人物は歓談した。ふらりと立ち寄った来客だったし、長居をするような用件でもないので、葵さんはわざわざお六さんを呼ばなかった」

そうしているうちに、事は起こった。

そこで要となるのが手拭いです、と言う。

「葵さんは、風邪で喉が痛むので、手拭いを巻いていました。下手人はそれをつかみ、引っ張って葵さんの首を絞めました。これもはずみでございます」

この手口が、しかし、弓之助の目にはとてもとても重大なものに見えた。

「ですからおでこさんと二人で、過去に、同じような手口による人殺しがなかったか

どうか、一生懸命に聞き歩いたのです」

　平四郎は、弓之助がこれまでに何度か、夏に起こった似顔絵扇子の事件のことを口にするのを聞いたことがあった。あれも昔の事件、昔の手口の再現だった。弓之助はあれに学んでいたのだ。

「喧嘩口論の挙句、カッとなって相手を絞め殺してしまう。相手が首に手拭いを巻いていたのを引っ張って、無我夢中で」

　弓之助は、手拭いをつかんで引っ張り、締め上げるような手つきをしてみせる。

「わたくしはね、叔父上。かなり早いうちから、今度の事は、似顔絵扇子の殺しの件と同じく、昔のことの繰り返しではないかと推察していたのです。ただ、似顔絵扇子の事件と違うのは、手口が一緒なだけではなく、下手人も一緒だということです」

「どういう……ことだ？」

　平四郎にはまだ何も見えてこない。

「葵さんを殺した人物、あの日の来客は、まず間違いなく、過去にも人を殺《あや》めたことがある。怒りで頭に血が昇り、相手の首を絞めてしまった――」

　それを葵の場合にも繰り返したというのか？

「あの日の葵さんに、あるいはあの座敷に、葵さんの言葉に、態度に、あるいは着ているものに、下手人にとっては忌まわしく恐ろしい過去の罪を思い出させるものがあ

った。だから心が騒いでしまった。しかも葵さんは、過去に自分が殺してしまった人と同じように、目の前に手拭いを巻いて座っている」

それが、あの日の来客、葵殺しの下手人を襲った通りモノの正体だ、という。

「おめえ、なんでそんなことを考えついたんだ？　しかも最初のころからさ」

弓之助はちょっと首をかしげた。彼が頭を動かしたので、平四郎の顎をかすめた。

「葵さん殺しの場がさっぱりしていたということは、申し上げましたよね？」

「うん、聞いた」

「葵さんの側に、殺められる理由があったわけではない。下手人を殺しに駆り立てたモノは、それが何であれ、葵さんには関わりがない。金でも恨みでもない。あくまでも、下手人の心のなかにあるものです。だから葵さんには、怯える理由は何もなかった。殺されるそのときまで、葵さんはひと欠片《かけら》の不安も抱かず、疑いもなく、だからあの場所には修羅場《しゅらば》の起こりようがなかったのです」

修羅場があったのは、下手人の心のなかだけだと弓之助は言い切った。心のなかにだけ、一人だけの地獄があった。

「そこまで人を逆上させ、前後を忘れさせてしまうもの。それは昔の罪。隠され、忘れ去られ、しかし手を下した本人には一生振り払うことのできぬ重い罪。わたくしには、そうとしか思えませんでした」

実際に聞き歩きを始めてみると、思っていた以上に、喧嘩口論の挙句にカッとなり、親兄弟、夫婦など身近の者を手にかけてしまうという形の人殺しは、数が多かった。

「今さら叔父上に申し上げるのも釈迦《しゃか》に説法ですが、そうした事件の場合は、だいたいが表沙汰にされずに、揉み消されてしまうものでございましょ？」

「うん。下手人がお白州《しらす》に引き出されるってことは、まずねえな。身内もかばうし」

「だからこそ、今度の件の下手人に、ふさわしい隠し事だと思えたのです。事は起こったが、公に裁かれはしなかった。そういう罪。なかったことにされた罪です」

しかし、しでかしてしまった事がきれいに消えるわけではない。思いは残る。後ろめたさも後悔も。

「わたくしはそういう先例を探しました。必ず見つかるはずだと信じて」と、弓之助は続ける。「それが真相だと思ったのです。あの日の葵さんには、相対したその来客に、本人の昔の罪を思い出させる何かがあった。葵さんは何も知らないのに、そのために来客は勝手に度を失い、様子がおかしくなった」

思い出したことが恐ろしくて。また、自分がそんなふうに唐突に取り乱したことを不審がられ、いったいどうしたのだと問われることへの恐怖もある。

「ここまではよかったのです。でも叔父上、わたくしは手口に、首に巻いた手拭いと

いうところにばかり、こだわり過ぎました。同じ手口の、身内の諍《いさか》いによる人殺しは、探しても探しても見つからなかったのです」

姉による妹殺し、娘による母殺し、夫による妻殺し。前例はたくさんあったという。だが、たまたま身に着けていた手拭いを使って首を絞めたという例は見当たらない。

「だからわたくしは、手拭いではなく、葵さんが何気なく何か言ったか、何かしたか——もちろん、何の意趣があるわけでもなく——それがきっかけになったのかと考えを改め始めていました。しかしその場合、その何かを突き止めることはもうできません。あまりに漠然とし過ぎてしまいますからね」

そこへ煙草の珍品、連枝薫が出てきた。

「あ、それだ！　目の前の霧が晴れる思いでございました」

湊屋が葵にやった連枝薫。葵の煙草盆のなかに入っていた。葵は風邪で煙草をやめていたが、来客には勧めた。来客は喜んで煙管《キセル》を出す。

めったにない、薫《かお》り高い煙が座敷に立ち込める——

「わたくしは舟の舳先《へさき》を、煙草の探索へと向けました。人殺しがあったとき、その場に珍しい煙草の香が立ち込めていた。そんな過去の事件はなかったかと、再び聞き歩きをし、これまで聞き歩いた事件の洗い直しもしてみたのです」

すると、見つかったのだった。

「十五年前のことです」

牛込《うしごめ》に大きな古着屋があった。お店の名前は申しませんと、弓之助は言う。

「牛込は古着屋の多い土地ですが、そのお店はなかでも古顔で、ただの古着ばかりではなく、芝居の衣装をも扱う名店で、大きな身代を持っていました」

そこに三人の娘がいた。

「仲良し三姉妹と言いたいところなのですが、残念ながらそうはいきません。何がいけないのか、この三姉妹は折り合いが悪かった。とりわけ、二番目の娘さんが、あとの二人と気が合わない。またそこに輪をかけるように、三姉妹のおっかさんと、この二番目の娘との間もよろしくない。何かというと、二番目にばっかり辛くあたる癖《くせ》があったそうです」

親子でも兄弟姉妹でも、どうしてか気性が合わないということは確かにある。どっちが悪いわけでもないのだが、血がつながっていて近くにいるだけに、こじれると始末が悪い。

「あるとき、どこぞへ出かけるというので揃って支度をしていて、三姉妹のあいだで喧嘩が起こった。着物争いですね。女のひとは、着るもののことになると人が変わる。それはわたくしなんかでもわかります」

ぎゃあぎゃあわぁわぁ、泣くわわめくわの大騒ぎになり、女中が止めに入ってもおさまらない。そうして喧嘩が高じるうちに、長女と三女が手を組んで、二人がかりで真ん中の次女をやっつけるという雲行きになってきた。この三姉妹の喧嘩は、だいたいいつもそういう形に落ち着くのが常だった。

「そのうち、おっかさんが怒り出しまして」弓之助の声が暗くなる。「それでも三姉妹を並べて叱るならよかったのですが」

長女と三女は口裏を合わせ、次女がわがままを言うからいけないんだと言いつける。言いつけられた次女はもっと怒る。感情のままに酷《ひど》いことを口走るから、端《はた》からはいちばん悪く見える。

「おっかさんは次女だけを自分の座敷に呼びつけて、こっぴどく叱ったそうです」

だいたいおまえは根性が悪い。いつだって諍《いさか》いの火元はおまえじゃないか。姉さんに譲らず、妹を思いやらず、どうしてこんなに我が強いんだろう。

次女が叱られているうちに、長女と三女は着飾って出かけてしまった。次女は一人で貧乏くじを引かされたわけである。

そして――不幸は起こった。

「一方的に叱られなじられて我慢の切れた次女は、座敷の長火鉢にかかっていた鉄瓶を持ち上げると、こんちくしょうとばかりに、おっかさんめがけて投げつけました」

鉄瓶には湯がぐらぐら沸いていた。だから鉄瓶を投げたというよりは、煮え湯をぶっかけたという方が正しいだろう。一人で煮え湯を飲まされた次女には、そのときその場では、それがいちばん溜飲の下がるしっぺ返しだったのかもしれない。

たまげるような悲鳴を聞き、駆けつけた人々は、焼け爛《ただ》れた顔をかきむしって悶絶《もんぜつ》しているおっかさんと、もうもうと上がる湯気と、転げまわるおっかさんの傍らに、息を荒らげ、血の気の抜けた顔でぺたりと座り込んでいる次女を見た。

「そして座敷のなかには、おっかさんが次女を叱りながら吸っていた煙草の匂いが立ち込めていたそうでございます」

ごく珍しい、香料のように薫る煙草。湯気と混じり、むせるほどに強く匂っていた。

連枝薫であった。三姉妹のおっかさんは、唐渡《からわた》りのものが好きな贅沢者であったのだ。

二日間、火傷《やけど》の痛みと熱に苦しんだ挙句、おっかさんはもだえ死んだ。

「この一件は表沙汰になりませんでしたが、なにしろこれだけの惨事ですから、奉公人たちは知っていました。彼らの口を封じるためにも土地の岡っ引きが乗り出しまして、それで——詳しいお話が残ったのです」

間もなく次女は親子の縁を切られ、家を出された。遠縁の家の養女になったらしい

がその後はわからないと、弓之助は当の岡っ引きから聞いた。何で知りたがるかわからんが、こんな話は蒸し返しちゃならねえことだ。いいね、坊ちゃん。

「――で、その古着屋はどうなった」平四郎は低く尋ねた。

「今もございます。長女が婿《むこ》を取りまして。ですから、お店の名前は申し上げられないのです」

話してくれた岡っ引きは、あのお店では、今でも煙草は忌み物だと言い添えたという。先代のおかみさんが死んだときの有様が、あまりに酷かったからだ、と。

――お香みたいな煙草の匂いに、肉の煮える臭いが混じってね。ありゃ、今でも忘れられないよ。

駕籠はどのあたりにさしかかったろう。駕籠かきの掛け声は、一本調子に続いている。

「叔父上」

「うん？」

「その次女の名前を、お春というそうでございます」

「そんなことじゃねえかと思った」

あとは本人から聞くのがいい。そう言って、平四郎は弓之助のほっぺたを軽く叩いてやった。ほっぺたは濡れていた。弓之助は泣いていたのだ。

十八

芋洗坂の空き屋敷のなかには、数々の灯がともり、揺れ動いていた。手燭《てしょく》やら提灯《ちょうちん》やら、かき集めて明るくしているのだろう。これも、佐吉が捕まったあの夜と同じだ。

平四郎たちの駕籠が着くと、薄闇の前庭を男が一人駆け寄って来た。鉢巻きの八助親分だ。

「井筒の旦那、こりゃいったいどういうことです？」

目玉をぐりぐりと、今にも飛び出さんばかりにひン剝いている。

「どうもこうもねぇんだ。それでおはつはここにいるか？　晴香先生が一緒なんだろ？」

「いますよね？」八助の袖に食いつかんばかりの勢いで前に出た弓之助に、八助親分はちょっとひるんだ。

「い、いますよ。奥の座敷に。元は女中部屋に使っていたところの、押入れのなかにこもっちまってます」

杢太郎がその前に陣取り、必死でかき口説いているところだという。

「おはつちゃんは無事ですか？」弓之助は泡を噴きそうだ。

「泣き声が聞こえてるから……」

ああ、よかったと、くらくらと倒れかける。平四郎はあわてて抱き留めた。

「寺子屋の女先生が、なんだってこんなことをするんです？」

「いろいろ事情があるんだ。頼むからここは俺たちに預けちゃくれねえか」

「そりゃかまいませんがね。約束だから。だけど大丈夫ですか。あの女は刃物を持ってるようですよ。まったく、あれが子供らに手本を示す先生のやることかね」

八助は機嫌を損ねているが、自分たちが事情を知らされないまま脇役に押しのけられるのが気に入らないというのではなく、ひたすらにおはつの身を案じて怒っているようだ。平四郎は救われた気がした。やっぱり八助も岡っ引きなのだ。

「弓之助、しゃんとしろ。奥へ行くぞ」

ふらついている弓之助の背中をどやしたところへ、また一梃《いっちょう》の駕籠が着いた。簾《すだれ》を上げて、おでこが転がり出てきた。続いて政五郎が降り立つ。

「遅くなりました。おはつは？」

「奥にいる！」

おでこが無言で走り寄ってきて、弓之助の手を取った。「さ、さ、行きませんと」うろうろと泳いでいた弓之助の目が、それでやっときちんと据わった。はいと答え

て、おでこに引っ張られるようにして奥へ駆け込んでゆく。平四郎たちも土足のまま後を追いかけた。

廊下を走り、開けっ放しの座敷をいくつも駆け抜けながら、弓之助の後姿に呼びかけた。

「おい、なんで晴香先生がおはつをここに連れてくるとわかった？」

「ここしかないのです！」弓之助は走りながら大声で答えた。「このお屋敷が始まりでした。晴香先生は、このお屋敷で葵さんを手にかけてしまったときに、十五年も身体の内に封じ込めていた鬼を、呼び出してしまったのです」

勢い余った政五郎が唐紙《からかみ》にぶつかった。派手な音をたてて唐紙が外れ、倒れる。

「ここには子盗り鬼ではなく、晴香先生の鬼がいたのです」弓之助の声は、きっぱりを通り越して剃刀《かみそり》のように鋭くなっている。「だから晴香先生は、人を殺めようというならば、ここへ来るしかないのです。他の場所ではできないのです」

晴香先生の鬼――古着屋のお春の鬼だ。

狭い女中部屋は、ざっと六、七人の男たちが集まっていた。平四郎の知っている顔もあれば、知らない顔もある。むっと男臭い。

六畳間の突き当たりに一間の押入れがある。そこにへばりつき、杢太郎が大きな身体を丸めている。平四郎たちがどたどた駆けつけるのを聞いて振り返った顔は、泣き

濡れていた。

「ご苦労だな。すまん、ちょっと通してくれ」

男たちが道を開《あ》ける。弓之助とおでこが前に出る。政五郎が手下の顔を見つけ、手下は素早く立ち上がってきて平四郎に挨拶した。

「あたしらがここへ駆けつけたときには、先生は子供をつかまえて、台所にいたんです」

「おはつは縛られるかなんかしてるか?」

「いえ、先生に手首を取られて、引きずられていただけです。晴香先生はあたしらに気がつくと、奥へ奥へと逃げ出して、とうとうここに立てこもっちまって」

「晴香先生、晴香先生」

李太郎がまた押入れのなかへと呼びかけ始める。泣いているせいでだみ声だ。

「お願いです。おはつ坊と一緒に出てきてくださいよ。こんなことしたって、何にもならないよ。先生は何か悪いものにたぶらかされてンだ。さもなきゃ病にかかってるんだ。だからね、誰も先生を悪くなんか言いませんから。俺らだって、先生をひっくくろうとしてるわけじゃねえ。そんなことができるもんか。先生はおはつ坊の先生だ。おはつ坊に手荒いことなんかなさるわけがねえ。先生は俺の先生でもあるんだから、俺の言うことなら聞いてくださるでしょう?」

出てきてくださいようと、拝むように杢太郎は呼びかける。

しっかりとおでこの手を握り締めながら、弓之助が何か呟いた。平四郎はかがんで耳を近づけ、その声を聞き取った。

「そうか、ここへ連れてきてはみたものの、すぐにはおはつちゃんを殺せなかったんだ」

弓之助はそう言っていた。

「晴香先生も、鬼と戦っていたんだ」

平四郎は、ぴたりと閉じられた押入れに目をやった。なかから、かすかに子供の泣きじゃっくりが漏れ聞こえてくる。

「叔父上」弓之助が蒼白の顔で平四郎を仰いだ。「杢太郎さんだけを残して、他の皆さんをここから外へ出していただけますか」

平四郎が何か言うまでもなく、政五郎が低いがきびきびした声で指示を飛ばして、男たちを動かした。それから、彼は平四郎にそっと囁《ささや》いた。「万が一を考えて、出入口をすべて固めておきます」

「わかった」

弓之助が前に進み出ると、杢太郎の大きな背中にそっと手を乗せた。杢太郎は振り仰ぐ。弓之助は彼にうなずきかけると、ぐっと息を詰め、それから、さっきまでとは

別人のように落ち着いた優しい声で押入れに語りかけた。

「法春院の晴香先生。わたくしは杢太郎さんとおはつちゃんの友達です」

おはつの泣きじゃっくりが、つと止まった。

「おはつちゃんの身を案じて、駆けつけて参りました。先生もおはつちゃんも、お怪《け》我《が》はございませんか」

押入れから返事はない。

弓之助はもうひとつ息を吸って吐き出すと、さらに言った。「先生とおはつちゃんを捕らまえて、そんなところに押し込めているのは、牛込の古着屋の娘、お春さんでございますね」

押入れに動きはない。何かたじろいだような気配を感じたのは、平四郎の思い過ごしか。願望か。

「晴香先生。先生なら、お春さんを説くことがおできになるはずです。今さらおはつちゃんを傷つけても、亡き者にしたとしても、何にもならない。事は悪い方に転がるばかりです。先生なら、そう言ってお春さんを宥《なだ》めることがおできになりますね？」

弓之助の声ばかりがするすると、灯火の輪のなかを流れてゆく。外はすっかり暮れた。

唐突に、押入れの中でおはつが声をあげて泣き出した。どすん、と内側から唐紙が

蹴り上げられる。杢太郎が飛び上がり、平四郎は身構えた。

押入れの戸が、すっと開いた。

三尺ばかり滑らかに開いて——そこからおはつが転がり出てきた。と思った瞬間に、押入れはまたぴしゃりと閉じた。

杢太郎がおはつをさらうようにして抱き上げる。おはつは手放しで泣き、足を蹴り手を振り回して暴れている。目が吊りあがり、口は歪んでぜいぜいと喉を鳴らしている。杢太郎はおはつを抱いたまま女中部屋から飛び出した。

平四郎は押入れに突進しかけて、弓之助に遮《さえぎ》られた。「なりません、叔父上」

「しかし——」

「今開けたら、晴香先生は死にます」

そして声を高めて押入れに呼びかける。

「ありがとうございました。おはつちゃんは無事に受け取りました。先生、お手柄でございます」

いっそ褒《ほ》め讃《たた》えているような言い方だ。

「先生はご無事でございますか？　お春さんは先生を酷い目にあわせてはいませんね？」

廊下の先でおはつが泣き暴れているのが聞こえてくる。しかしここでは、沈黙が喉

に詰まるのを平四郎は感じた。

「放っておいてくださいまし」

押入れがしゃべった。女の声だ。震えておらず、かすれておらず、だが遠い。奥行き半間もないはずの押入れなのに、遥か遠くから聞こえてくるようだ。

「晴香先生？」弓之助が呼ぶ。

「放っておいてくださいと申しました」

さっきよりも強い声音だ。

「わたくしたちは先生の身が心配です」

弓之助の声も表情も、まるで本当に晴香先生が賊《ぞく》に人質に取られているのを案じているかのように、真に迫っている。

「お春さんは、先生を殺めようとしているのですか？」

おでこが押入れと、さっきより遠ざかったがまだ悲鳴のように泣き騒ぐおはつの声の聞こえてくる方とを見比べて、せわしなく首をめぐらせている。

「それでいいのです」

晴香——お春の声が、そう答えた。

「わたくしはここで死にます。死なせてくださいまし」

思いがけないというより、場違いにもほどがあるが、弓之助は美形の顔でにっこり

と笑った。女どもの腰を砕く、凄みさえあるあの笑顔だ。

「いいえ、わたくしがそんなことはさせません。きっと先生をお守りして、助け出してごらんにいれます」

平四郎は一瞬、くらりとした。弓之助は、押入れにたてこもった女を口説いている。

「わたくし、ここで待たせていただきます。お春さんと根競《こんくら》べです。わたくしの方が、お春さんよりも、先生を思いやる気持ちが強い。けっして負けはしませんよ」

言うなり、その場に正座してしまった。微笑を浮かべて。

平四郎はますますくらくらした。好い仲の男女が、些細《ささい》なことで喧嘩をした。怒って泣いた女は押入れに閉じこもってしまった。困ったなぁと苦笑いをしつつ、男は女を宥めすかし、機嫌をとり、根負けした女が出てくるのを待っている。仲直りするために。

まるでそんな情景だ。

気がつくと、弓之助が目顔で平四郎を呼んでいた。這うように近づくと、美形の甥は馬面の叔父の耳元に口を寄せて、

「お願いがございます、叔父上」

「何だ？」平四郎も囁き返す。

「湊屋さんに頼んで、今すぐに、例の幻術一座を借り出してくださいまし。夜明けまでにやっていただきたいことがあるのです」

何だと？

「それと、お六さんも呼んでください。生前の葵さんを知っている人が要るのです」

「だけどおまえ——」

「弓之助一生のお願いでございます。ここで晴香先生をとられては、わたくし、後生の悪さにこれから先を生きて参れません。出家せねばならなくなります」

それでは井筒家の跡取りがいなくなる。

「わかった、何とかする」

後で思い出し、つくづく情けないと思ったが、平四郎は酔っ払いのような千鳥足《ちどりあし》で女中部屋を出た。目の前がぐるぐる回ってどうしようもなかったのだ。

廊下の角に政五郎が控えていて、肩を支えてもらって正気づいた。弓之助に頼まれた事柄を告げると、手練《てだれ》の岡っ引きも、さすがに濃い眉を吊り上げた。

「坊ちゃん、何をなさろうというんでしょう」

「わからん。だが一生のお願いとあっちゃ、無下《むげ》にはできねえ」

湊屋には平四郎が行った方が話が早い。お六には政五郎の手下を迎えに出そう。段取りを整えて前庭の方へ出てゆくと、政五郎がさっきの駕籠を帰さず、待たせておい

てくれた。手配りのいい男である。

右手の小上がりの座敷に、杢太郎がおはつを抱いてへたりこんでいる。平四郎は足を止めた。杢太郎にしがみついているおはつに向かって、おでこが何か身振り手振りをしてみせながら話しかけているのだ。

「て、手前は」と言いながら、右の掌で見事に張り出したおでこをぽんと打つ。「先にも、お会いした、おでこの、三太郎と、申します」

ひょいひょいと足を踏み替え、杢太郎の背中を回って反対側に顔を出す。

「おはつさん、御見知りおき、ください、ましたかえ？」

またおでこをポン。くるりと回って、ばあとやる。

「現れ、出《いで》たる、このおでこ。今日《こんち》、はやりの、縁起もの。おはつさん、楽しい、踊りを、お目にかけましょう」

さっきまでひきつけを起こしたように暴れていたおはつだが、今はぐったりと杢太郎に抱かさっている。荒かった息もおさまり、目はまだ涙で真っ赤だが、踊るおでこのひょうきんな姿に、すっかり気を惹かれているようだ。

「そうれ、それ、それ」へんてこな舞いをぐるぐると舞ってみせると、片足を上げ、片手でおでこをぽんと張って、三太郎は満面に笑みを浮かべて見得を切る。

「もう、大丈夫でござんすよ」

それを聞いて、おはつがしくしく泣き出した。今までとは違い、力の抜けた、安心から溢れ出る涙が頬を濡らす。杢太郎がおはつを抱きしめて、一緒になって泣いている。ああ、よかった、よかった。おはつ坊、よかったなぁ。

「あれでなかなか」と、政五郎が言った。

「うん、役者だなぁ」

平四郎は走って駕籠に飛び込んだ。


湊屋に、総右衛門は不在だった。商用で昨日江戸を離れたばかりだという。

留守を守っていたのは宗一郎だった。いつぞやはと挨拶しようとするのを、平四郎は乱暴に遮った。

「あんた、親父殿から聞いてないか？　お抱えの幻術一座のことをさ」

「幻術でございますか？」

宗一郎ではわからないか。万事休すかと思ったとき、若旦那の目元がほころんだ。

「はい、父から聞いております。留守にしている間に、もしも井筒様が御用があるかもしれないから、教えておくと」

有難い！　平四郎は両手で宗一郎の手を取った。「すぐ呼んでほしいんだ。どうしても連中に来てもらわねえとならない用がある」

振り回されて、宗一郎は目を白黒させたが、すぐ立ち直って請け合った。「わかりました。手前が連れて参ります。芋洗坂の、葵さんが住んでいたというお屋敷でございますね？」

「そうだ。自身番に寄れば、場所はわかるように言っておくからな」

後を頼んで、平四郎はとって返した。こんなに急いで駕籠に揺られるのは初めてのことだし、もともとこの揺れは腰に悪いのだが、今はそんなこともまったく気にならない。

戻る途中で、ぱっと思いついた。駕籠を本所の幸兵衛長屋に向けさせる。お徳の店の扉をばんばん叩く。

「何だよ、うるさいね！」

お徳がしんばり棒を持って立っていた。あら旦那と、目を丸くする。

「お徳、炊き出しを頼む！」

「え？　何だよやぶから棒に」

「炊き出しってのは急なもんだ。頼むよ。握り飯でいい。できるだけたくさんこしらえて、彦一に持たせて寄越してくれ。場所は――」

夜道だからな、必ず彦一に来させろよと、それだけ念を押してまた駕籠に飛び込んだ。

芋洗坂に戻ると、弓之助はまだ女中部屋の押入れの前に頑張っている。とうとう声を張り上げて何か諳《そら》んじている。

「何やってんだ、あいつは」

「論語ですよ、旦那」

柱の陰からのぞいていた政五郎が、感心したような呆れたような、この男には珍しい上っ調子な声で教えてくれた。

「弓之助さんは論語を諳《そら》んじているんです。自分はこれこれこうと習ってきたが、この解釈で正しいか。先生のご意見を賜《たまわ》りたいと」

肝が太いのも、ここまでくると正気すれすれという感じがする。弓之助も捨て身だ。

「晴香は返事をしてるのか？」

「さすがに返事はありません。でも、生きてます。ときどき小さな声がしますし、動いている気配もありますからね」

放っておいてくれ、死なせてくれ、というようなことを言うらしい。

「ただそっき、弓之助さんに、あなたのような子供が遅くまでこんなところにいてはいけない、早くおうちにお帰りなさいと言いましたよ」

まるで寺子屋の先生だ。いや、晴香は先生なのだ。政五郎の目元がほころんでい

る。

「どうやら、弓之助坊ちゃんが優勢のようです。鬼は圧《お》されておるんです」

杢太郎はおはつを家に連れ帰った。鉢巻きの八助は焦《じ》れている。ぱぁっと押入れを開けて、先生を引っ張り出しちまえば済むことだ。刃物持ってたって、えいっと取り上げちまえばいい。何で手をこまねいてるんです？

「策略ってやつだ。ま、見てろ」

と言ってはみたものの、平四郎にも弓之助の魂胆が読めない。幻術一座を呼びつけて、何をやろうというのだろう。

「それより八助」平四郎は大事なことを思いついた。「晴香先生には身寄りがいたよな」

法春院の檀家総代を務める家だという。おそらく、そこが牛込の不幸な古着屋の親戚筋で、お春を養女に迎えたところだろう。

「晴香先生がこうなっちゃ、遅かれ早かれそっちにも事情が知れる。先に手を打っておかんと、まずいよな」

うちの大事な養娘《むすめ》に何をしてくれる、晴香が何をしたというのですかと、ねじこまれることは充分にあり得る。

「ここはひとつ、佐伯殿にお願いするべきだな。おまえ、遣いに行ってくれ」

八助はむくれた。「こんなバカ気たこと、何をどう説明すりゃいいんです？」

「俺が一筆書く」

平四郎は矢立《やたて》を出して、せいぜい急いで殴り書きをした。「佐伯殿は八丁堀にお住まいではないという噂も聞いたが、おまえ、居所は知ってるか？」

「はあ、そりゃぁねえ」

「頼むぞ。持つべきものは良き岡っ引きだ」

八助が出てゆくのと入れ違いに、お六が着いた。自分の足で歩いては来たものの、気持ちとしては拐《かどわ》かされたも同然なのだろう、何が何だかわからずに、しっかり者のこの女もうろたえている。平四郎はお六を台所へ連れてゆき、湯を沸かせ、茶をくれ、とせっついた。日頃やり慣れていることをさせた方がいい。

「おっつけ炊き出しが来るんだ。

それから半刻ばかり経っただろうか。かすかに荷車の音がしたかと思うと、宗一郎が顔を見せた。思ったよりもずいぶんと早い。なかなか頼りになる若旦那ではないか。

荷車は二台で、どちらも筋骨たくましい大男が引いていた。身なりは町人風だが、勇ましく尻っぱしょりをして、頭は丸坊主だ。笑むでもなく、愛想を言うでもない。黙って頭を下げている。

荷はすっぽりと布で覆われているので、何が積まれているのかわからない。が、どうやら荷だけではなく、役者もその下に隠れているようだ。

宗一郎も荷台の端にしがみついていた。

「旦那、こちらでよろしいのですか」

「おお、ありがとう、ありがとう。あんたはもう帰ってもいいぞ」

降りるのに手を貸すというより、引きずり降ろしておいて平四郎は言った。

「一座の衆よ、ご苦労だな。私は八丁堀の井筒平四郎という者だ。湊屋総右衛門殿からの口利きで、あんたらに来てもらった」

「あの、旦那」

宗一郎が袖を引く。平四郎はさっと彼を見返って言った。「あんたそこにいるなら、ちょうどいい。弓之助を呼んできてくれ。奥にいる。ところで、座頭は誰かね？」


井筒平四郎は、湊屋宗一郎と並んで座っている。

女中部屋の隣の、明かりを消した座敷だ。畳があげてあるので、板間である。おまけに埃っぽい。女中部屋とここを隔てる唐紙の隙間から、わずかな明かりが漏れてくる。それでようやく、鼻の前にかざした自分の手が見える。

「一座の皆さんのお邪魔にならないように、おとなしくしていてくださいね」

弓之助にはそう言われた。だから平四郎は、もう帰ってもいいぞと邪険に扱った宗一郎と一緒に、今度は自分も邪険に扱われているわけである。

「旦那」宗一郎が声を潜める。「旦那の甥御さんは、一座を使って何をしようとなすっているのでございましょうか」

平四郎は憮然と懐手《ふところで》を組んでいた。

この部屋に押し込まれるまでは、台所にいた。彦一が着いたので、炊き出しを食っていたのだ。先に平四郎が手をつけないと、皆が食わないからと言われた。喉を通らねえよと言ってはみたが、食ったら旨いのでいくつも食った。宗一郎にも勧め、手の空いた者たちにも順に食わせた。

そうして、宗一郎に事の次第を話して聞かせた。葵が殺された一件の真相を、宗一郎はまだ、今ひとつ信じかねているようである。

幻術一座が到着すると、弓之助はすぐに出てきて、しばらくのあいだ彼らと相談していた。結局、平四郎は誰が座頭なのか知らず、花形役者の顔も見ていない。一切合切、弓之助に仕切られてしまったのである。

「俺にもわからん。黙って見てりゃわかるんだろうよ」

むっつりとそう言ったとき、頭の上からパラパラと埃が落ちてきた。宗一郎と一緒

に見上げると、天井の板が少しずれて、そこから細い明かりがのぞいている。

「すみません」

男の低い声が謝った。道具係か。天井裏を這い回り、仕掛けをほどこしているらしい。

「旦那がた、ちょっとその唐紙を、あとほんの一寸開けていただけますか」

平四郎より先に宗一郎が動いて、唐紙を開けた。

「はい、ありがとうございます。風が通らないと仕掛けが活きませんので、どうぞ唐紙の前をふさがないようにお願いします」

平四郎は宗一郎と顔を見合わせ、互いの座っている場所を、ちょっとずつ動かした。

女中部屋では、まだ弓之助が唐紙相手にしゃべっている。今度は「大日本史」とやらの講釈だ。

「一座が着いたと、手前が報せに行きましたとき」宗一郎は小声で言った。「甥御さんは押入れに向かって、先生おなかが空きました、夜食をいただいて参りますがよろしいですねと、けろりとしておっしゃいました」

弓之助らしいとぼけ方だ。そして幻術一座との打ち合わせに行ったのである。いったい、どんな幻を演じてくれと頼んだのだろう。晴香先生をどうするつもりなのだ?

「甥御さんが退《ど》いた隙に、あの禿頭の岡っ引きが、手ぬるいとか何とか言って押入れに近づこうとしたら、はったとばかりに睨みつけましてね」

八助親分は腰を抜かしかけたそうである。

「晴香先生をお助けし、鬼を逃がさず捕らえるためには、この押入れを開けてはならないのですと、それはそれは大変な剣幕でおっしゃいました」

弓之助は、凄むとけっこう怖いのである。それで八助親分が引き下がらなかったら、投げ飛ばしていたかもしれぬ。

「わたくしの習っている佐々木先生は」

女中部屋の弓之助は元気にしゃべっている。

「武田氏の兵法《ひょうほう》は山攻めに長《た》けているという定説は、必ずしも正しくはないとおっしゃいます。なるほど甲斐《かい》の国は山がちで、城も山城ばかりでありますが、しかし城というものには必ず水が要り、しかして川や湖のそばに構えられることも多いものです。水路を絶つことの効能は、むしろ海城よりも甚《はなは》だしく、また城の守りの士気にも関わり——」

ここでふぁぁとあくびをした。

「ああ、軍記軍法は難しゅうございます。わたくしは、もっとやわらかいお話の方が好きでございます。『太平記』は面白うございますよね、先生。神国《しんこく》に仇なす怨霊《おんりょう》退

治のお話など、何度聞いても心が躍ります」

どこか遠くから、鈴の音のようなものが聞こえてきた。空耳かしらと、平四郎は耳を澄まし直す。と、弓之助が立ち上がった。

「お手洗いに行きたくなってしまいました。先生、よろしゅうございますか？　わたくし、すぐ戻りますのでご案じくださいますな」

弓之助が出てゆくと、押入れの前には誰もいなくなった。明かりだけが揺れている。

と、その明かりがすうっと薄れた。灯火の輪が縮まり、女中部屋の四隅に闇が滲み寄る。

平四郎は気がついた。何か匂うぞ。

香料のような――濃厚な薫りだ。気のせいではない。はっきりと感じられる。

旦那――と宗一郎が言いかけたのを、手で口を押さえて止めた。目と目を合わせてうなずきかける。

すぐ横の廊下を、何かの気配が近づいてくる。する、すると衣擦《きぬず》れの音がする。

しかし足音は聞こえない。

女中部屋と廊下をへだてる敷居に、人影が立った。明かりが届かずよく見えない。

一歩、人影が前に踏み出る。灯火の輪のなかに入ってくる。

もう一歩、前に進む。するりとまた衣擦れ。

一寸だけ開いた唐紙の隙間から、煙草の煙がうっすらと流れ込んでくる。香りが強くなる。連枝薫《れんしくん》かと、平四郎は思った。

宗一郎が息を呑む。平四郎は顔を上げた。

唐紙の隙間から、女中部屋に立つ女の姿が見えた。横顔が見えた。きっちりと結い上げた髪に白髪がちらほらと、しかし色白でふくよかな頬と顎は、まだ充分に艶《なまめ》かしい。

身にまとうのは桔梗《ききよう》の柄の着物に、とろけるような煙草の芳香。

葵だ。葵が現れた。この顔。平四郎の見た死に顔がそのまま蘇った。

葵はくるりと身をひねり、小粋に結んだ背中の帯をこちらに見せて、押入れの方へと顔を向けた。

「晴香先生」

押入れへと呼びかける。艶のある声音だ。練り絹《ねぎぬ》で撫でられたような耳心地。

「まあ、晴香先生。ご苦労さまでございますねえ」

平四郎は目を凝らした。押入れの戸に動きはないか。

「そんなところで何をしておいでですの。先生、出ておいでなさいな。何も怖がることなんぞござんせんから」

押入れの戸は閉じている。葵の袖がふわりと揺れる。手に煙管《キセル》を持っている。この香りはそこから漂い出ているのだ。

「あたしはねえ、そりゃ先生、ここで亡者に成り果てました」

笑っているような、陽気な声である。

「先生ときたら、あたしを死ぬほど驚かしたもんですよ。いえ、本当に死ぬほど」

煙管を持っていない方の手で袖を持ち上げ、口元にあてて、くすぐったそうな笑い声をあげてみせる。平四郎はぞくりぞくりと震えがくるのを懸命に抑えた。これは葵だ。いや葵じゃねえ。幻だ。

「でも先生。あたしはもともと業の深い女で、あのまま死んでいたのじゃ、たとえ寿命をまっとうしたとしても、地獄堕《お》ちと決まっておりました。ですからね、こうしてあの世に行き損ね、亡者になって残ったのは、いっそ幸せかもしれません」

子盗り鬼も退治できましたしねと、花を散らして喜ぶように、ぱっと手を上げてみせる。

「子盗り鬼を追い出して、代わりにあたしがここの主《ぬし》になる。主さま、主さま、主違い。あたしの待ってる主さまは、まだこの世においでだし。ああ、それだけは寂しいわ」

若い女が拗《す》ねるときよくそうするように、腕をよじってくねくねと身を揺らす。そ

のとき、平四郎は見た。眼前の葵──葵の幻の、首にくっきりと酷《むご》い手拭いの痕《あと》。

「晴香先生ってば、出ておいでなさいよ。誰にもひっくくられたりしやしませんから。亡者《もん》が出てくると、生きている者はみんな寝ちまうんです」

平四郎はじりじりと膝を乗り出し、唐紙の隙間に目をあてて、女中部屋のなかをのぞきこんで驚いた。弓之助とおでこが、敷居のところに座り込んだまま、天井を仰いで口を開け、ぐうぐう寝ている。その後ろには政五郎までいて、こちらは前のめりにつんのめり、鯨《くじら》のようないびきをかいて寝込んでいる。

「ねえ、先生」

声をかけるなり、葵はしんなりと手を伸ばし、押入れの戸を開けた。ぱん、と音がして戸が柱にぶつかり、跳ね返るほど勢いよく。

押入れの下の段に小さくなって、青ざめた顔に紺地の着物、髷《まげ》の乱れた女が一人、両目を瞠《みは》って葵を見上げている。

これが晴香──お春の姿だ。両手で硬く、小刀の柄を握り締めている。女が襟元に忍ばせる守り刀だろう。

「あら、何ですよ。そんな物騒な玩具《おもちゃ》を持って」

葵は咎《とが》める口調で言うと、子供のようにおきゃんに身をかがめ、晴香の手から小刀を取り上げてしまった。いけませんよ、と言うなり、それを廊下の方へと投げ捨て

る。

　刀が落ちる音はしなかった。闇に吸い込まれてしまったかのようだ。

「ほら先生、出ておいでなさい」

　葵は晴香に手をさしのべた。小刀を取り上げられたまま、宙に泳いでいたその手をつかむ。

「おや、冷たいこと」葵は言って、にやりと笑った。「亡者のあたしより冷たいねえ」

　晴香の口元がわななないている。襟《えり》は乱れ、帯も緩《ゆる》みかけている。目のまわりは疲労で黒ずみ、涙の痕があるようだ。

「先生、よござんすか。ここはあたしの屋敷なんですよ」

　晴香の手をぐいと引き、半分ほど押入れから引きずり出しながら、葵は言った。子供に言い聞かせる口調である。

「先生があんなことをなすったから、あたしはここから離れられなくなったんです。でも、居心地は悪くありませんからね。あたしは気にしてやしません。浮世にいたって修羅でございましたから、いっそこの方がさっぱりしたくらい」

　晴香は口を半開きに、いやいやをするようにかぶりを振っている。

「ですからね、先生。先生がここで死んで亡者になられたんじゃ、困るんですよ。あ

たしはうちに居候《いそうろう》を置くのは好きじゃないんでねえ。先生はどうみたって、お六ほど役に立ちそうにないから、女中は務まりませんでしょ。あたしだって、先生みたいな学のあるお人を婢《はしため》にするのは気が進みませんし」

晴香がやっと声を発した。

「先生、あたしの顔をお見忘れですかえ？」葵は切れ長の美しい瞳を瞠ってみせる。「あ、あなたは」

「あらまあ、ずいぶんな仕打ちだねえ」

くたくたと、畳の上に頽《くずお》れそうになりながら、晴香は何とか顔だけ上げている。血の気どころか生気も失せて、平四郎の目には、そこに二人の亡者がいるかのように見えた。

「そりゃあたしは、こんな死に方をしても文句の言えない女でございますが」

葵は呟き、婀娜《あだ》っぽく口をすぼめて息を吐いた。

「それにしても、先生のなさりようはあんまりでした。あたしが何か、先生のお気に障ることをしたんでしょうかしらねえ」

晴香が震え始めた。がくがくと顎が上下する。指を伸ばし、葵に触れようとしている。が、葵の裾がすっと逃げて距離をとる。

「それとも、これはあたしの受ける罰かしら」

葵は考え込むように首をかしげる。

「浮世でしてきたことの罰が、こんな形で返ってきたんだろうかしら。だったら先生は、あたしに仏罰をあてにいらした、仏さまのお使いですか」

葵は晴香を見おろしている。晴香は畳に爪を立ててしがみついている。

「せんせ、あたしみたいになっちゃいけません」と、葵は言った。「まだ死んじゃいけません。ああこれは罰だって呑み込んで、素直に亡者になれませんもの。先生はあたしのように、ああこれは罰だって呑み込んで、素直に亡者になれませんもの。そういうお人は、まだ浮世の重石《おもし》が重すぎるんです」

くるりと背中を向け、立ち去ろうとするかのように足を踏み出し、それからぱっと気を変えて振り返る。

「ねえ先生。あたしは先生のおっかさんに似てましたんですか」

晴香が両手で口元を覆い、声にならない叫びを発した。痛ましげに顔を歪め、葵はそれをじいっと見つめる。

「先生、あたしを手にかけるとき、おっかさんのことをおっしゃってましたよ。何があったか存じませんけどね。仲たがいでもなさいましたの？」

ふうっと撫で肩を上下させ、葵は言った。もう勘弁しておあげなさいな。

「先生のおっかさんだって、勘弁してくだすってると思いますよ。だから先生も、もうあんな鬼みたような怖いお顔はなさいませんようにね」

今度こそ晴香を置き去りに、葵は廊下の方へと爪先を向ける。

「あたしも伜《せがれ》に会いたかったから、先生をお恨みしてないと言ったら嘘になるけれど」

足元の晴香に言い聞かせるように、葵の言葉は降りてくる。

「でも、これもあたしが受ける応分の報いでしょう。だから先生には、あたしみたいになっちゃいけないって、お説教するだけでよしにしておいてさしあげます」

桔梗の柄の袖が、ふわりとふくらんだ。

「それじゃ先生、お早くお帰りなさいね」

葵は歩き出した。平四郎はその姿を目で追った。一歩、二歩、三歩。狭い女中部屋を横切る、あでやかなその姿。

進むに連れてぼやけてゆく。

寝入っている弓之助とおでこの傍らを通り過ぎる。そのときにはもう半分方消えている。政五郎の後ろを通る。肩先まで消えている。

廊下に出ると、油切れの行灯《あんどん》の炎にも似て、細るように音もなく消え失せた。

りりり……んと、どこかでまた鈴が鳴る。

薫る煙が薄れてゆく。

晴香が畳をかきむしって泣き始めた。

「あ、先生」

いきなり弓之助が目を覚まし、ついで政五郎もおでこも飛び起きる。

「何だ何だ、いつの間にか寝ちまった！」

驚きあわてる政五郎を尻目に、弓之助が喜んで飛び上がる。「晴香先生がご無事だ！　無事に助かった！　鬼は行ってしまったんですね、先生！」

泣き狂う晴香を抱き起こす弓之助。きょときょととうろたえるおでこ。政五郎は仁王立ちになって顎を撫でる。

唐紙を開けようと立ち上がりかけた平四郎の腕を、宗一郎がつかんだ。目が開きっぱなしになっている。

「あれは――」

彼の目は、まだ葵が消えていった廊下の闇から離れない。

「あれは葵さんそのものでございました」

鬼は外、福は内

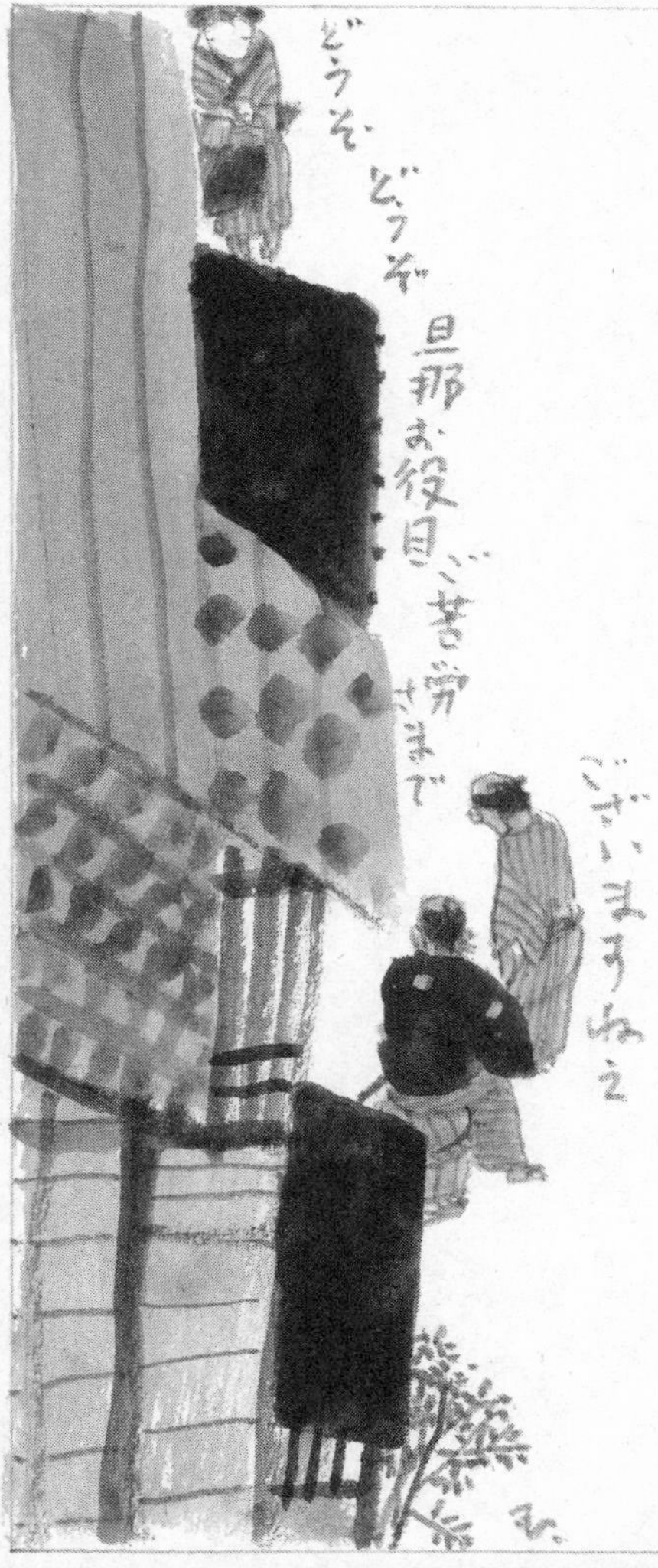
どうぞ
どうぞ
旦那お役目
ご苦労さまで
ございますねえ

井筒平四郎は座敷で寝転んでいる。

八丁堀の屋敷にいるのではない。大島《おおじま》にある佐吉の住まいである。ここを訪ねるのは初めてなのに、勝手知ったる他人の家とはまさにこのことだ。

縁側に面した障子を開け放ってあるので、正直に言うと、ちと寒い。が、小さな裏庭を隔てた塀の向こうの武家屋敷を囲む木立が、半ばはまだ紅葉を残し、半ばはすでに枯れ落ちて侘《わ》び寂《さ》びに満ち、何とも風情のある眺めとなっているので、我慢して楽しんでいるのである。

佐吉は先ほどまで、この裏庭を掃いていた。落ち葉と枯れ木を集め、そこで芋を焼いている。お恵もこまこまと立ち働いていたが、平四郎の足元に綿入れの半纏《はんてん》をかけてくれて、今さっき、やっと座った。

「のんびりして良い土地柄だなぁ」

よほど遠くへ来たような言いっぷりだが、ここも深川の内である。くつろいで解《ほど》け

た気分だから、そんなふうに思うのだ。

そして平四郎は、佐吉とお恵に、晴香先生のことを語った。あの夜、芋洗坂で起こった出来事について語った。

語り終えるころには芋が焼きあがり、お恵が熱い茶をいれてくれた。

「そうしますと、弓之助さんの読みは、今度も大当たりだったんですね」

佐吉は目を細めている。もう焚き火は燻《くすぶ》っておらず、薄紫色の煙も消えかけているのに。

「何から何まで、すっかりな」

芋洗坂の女中部屋の押入れから出てきた晴香先生――お春は、自身番へと身柄を移され、そこですべてを白状した。

あの日、葵のいた座敷には、本当にふと立ち寄っただけだったのだという。

「あんなことのある半月ばかり前でしたでしょうか。女中のお六さんの子供たちが、なにやらおかしな男につけ狙われているとかで、お六さんがたいそう気を揉んでいることがございました。その折にわたしもお六さんから事情を聞いて、お屋敷のご新造《しんぞう》さん――葵奥さまとも、お目にかかっておりました」

葵は、晴香先生を見知っていたのである。

「あの日もたまたまお屋敷のそばを通りかかりましたら、おみちちゃんかおゆきちゃ

んの手毬歌《てまりうた》をうたう声が聞こえてきまして、例のおかしな男のことはもう心配ないと聞いてはおりましたが、詳しいことは存じませんでしたので、ちょうどいい、お六さんに会ってその後のことなど伺っておこうかと思い立ったのです」

お六は屋敷の裏で働いていた。晴香はお六を探しながら塀の内へ入り、庭を横切り、葵が一人でいる座敷の前へと出てしまった。

挨拶を交わし、そんなところでは何ですから先生どうぞ——勧められて、晴香先生は座敷へと上がった。世間話が始まる。

葵は風邪を引いていた。あらお風邪ですか。ええ、とんだ無粋なことでね。

——お六は今、手がふさがってるようでおかまいもできませんが、先生は煙草はお好きでございますかしらね。

珍しい品があるんですよ。そりゃもう、うっとりするような佳《よ》い香りがしましてね。

連枝薫《れんしくん》であった。

「わたしの頭のなかに、昔の罪が——しでかしてしまった取り返しのつかないことが蘇りました」

葵は、晴香の顔色の変わったことに驚き、具合でも悪いのかと心配してくれたという。冷汗をかき、ぶるぶると震え、にわかに瘧《おこり》にでもかかったかのような晴香は、確

かに尋常な様子ではなかった。

「今も覚えております。葵奥さまはこうおっしゃったんですの」

――あら先生、どうなすったんです。まるで幽霊でも見たように青くおなりで。

このとき、平四郎は晴香に尋ねた。もしや葵は、おまえさんが手にかけたおっかさんに、よく似ていたんじゃなかろうな。

しかし晴香はかぶりを振った。

「似ておりません。わたしのおっかさんは、あんな姿の美しい女じゃありませんでした。ただ――」

その瞬間、手狭な自身番のなかで、晴香は、そこに居合わせた人びとが生涯忘れることのできぬような眼差しをした。睨むではなく、怨むでもない。それがそこにあることを知っていながら、それが自分を執念深く尾《つ》けまわしていることも承知していながら、長いこと逃げて、除けて、目を背けてきたものに、今ようやく向き合って、挑みかかるかのような目つき。

「ただ、あのときのおっかさんは桔梗《ききょう》の着物を着ておりました。わたしも、あの時あの場になるまでは、すっかり忘れておりましたのですが」

それを聞いて、平四郎は背中が寒くなったものである。

葵が殺されたとき、座敷の衣桁《いこう》には、仕立て下ろしの桔梗の着物がかかっていた。

そして、幻術一座が作り出した葵の幻は、確かに桔梗の着物を着ていた。あれは葵であり——宗一郎の言葉を借りるなら「葵そのもの」であり、同時にお春が手にかけた母親でもあったのか。

桔梗の着物と、連枝薫の香り。あの日あの座敷で、お春の罪が蘇った。取り乱す晴香に、葵は不審を抱く。蘇った罪にうろたえ前後を忘れながらも、晴香のなかには、ここで葵に訝《いぶか》られることは、せっかくつかんだ今の暮らし、法春院の晴香先生である我が身にとって、きわめて危ないことであるとわかっていた。

「奥さまに、わたしが奇矯《ききょう》な女だと疑いを抱かれては困る——何がきっかけで、昔の出来事を探り当てられるかわかったものではありませんから」

皆に仰がれ、親しまれる法春院の晴香先生が、実は、母親殺しのお春であることを。

だから、必死に平静を保とうとする。しかし葵は世慣れた女だ。晴香に調子を合わせつつも、眼差しはもう以前と違う。それが晴香には見て取れた。

「このままにしておいてはいけない。このままにしておくわけにはいかないと」

思ってしまった。

座敷を立ち去ると見せかけて、葵に襲いかかった。首の手拭いをつかんで引っ張り、あとは無我夢中で覚えていないという。

そして屋敷を逃げ出したとき、ちょうどお使い帰りで、あの小道を歩いていたおはつに出くわしたのだった。

あとは、よって件《くだん》の如し——

幻術一座の見事な手腕に、お春はすべてを語って、そして少しは楽になったように、平四郎には見えたのだった。

ところで、幻の葵に桔梗の着物を着せるという仕掛けを、平四郎はてっきり弓之助のおつむりから出たものだと思っていた。が、あとで聞いたら違うのだ。

「だってわたくしも、土壇場でお春さんから聞くまでは、お春さんのおっかさんが殺されたとき桔梗の着物を着ていたなんて存じませんでしたもの」

これは、葵を演じた幻術一座の女役者の発案だったというのである。

——女が女を殺めて、その場に着物があったのでしょう。だったら、どんな形にしろ、その着物に意味がござんせんわけはない。ひとつ着ることにいたしましょう。

これも怖いような眼力だ。ただ残念なことに、平四郎は、事後の始末に右往左往しているうちに、とうとうこの女役者に会い損ねてしまった。座頭の顔も知らぬままである。

「お春さんは、今どうしていなさるんですか」

焚き火の跡を足で念入りに踏みしめながら、佐吉が問いかけてきた。

「たぶん、養家に戻されたんだろう」

「たぶん？　旦那はご存知ないんですか」

「うん。俺たちゃ、葵殺しの下手人をつきとめられたら、それでいい。後は佐伯殿と八助にお任せするという約束だったからな」

ああいう寺の檀家総代を務めるくらいだから、お春の養家は土地では名家なのだろうし、湊屋が佐吉をそうしたように、やはり内済にされることになるのは間違いない。平四郎もそれは覚悟の上だった。

佐伯錠之介は、お春の養家へのとりなしを、実に上手くやってくれた。平四郎たちがとっくりとお春を調べ終えるまで、法春院の檀家総代だというその家からは、何の横槍《よこやり》も入らなかったのだ。

あの夜、とりなしを頼むという平四郎の急ぎの文に、佐伯は短い返事を寄越した。たたんである文を開いたら、真ん中にひと文字、

「承」と書いてあったのだ。

あくる日の昼過ぎ、平四郎たちがお春を八助に任せて引き上げるころに、次の文が来た。今度も、開けるとひと文字。

「安」

委細は始末し終えた、もう安心しろという意味か。あるいは、揉み消してやるの

に、意外と安くあげられてしまったという意味か。判じかねて、平四郎はちょっと笑った。

そして今朝方、平四郎が大島へ出かけようとしている矢先に、三番目の文が来た。

またひと文字である。

「仏」と、書いてあった。

「お春は出家するんじゃねえかな」

平四郎は佐吉とお恵に言った。

「あの先生には、牢屋暮らしよりも打ち首になるよりも、そっちの方が辛い罰になるんじゃねえかって気がするんだが、そんな俺は甘いかね」

若い夫婦は顔を見合わせる。

やがて、佐吉が小さく言った。

「それでも生きてくってことですよね」

「うん、そうだな」

「全部背負《しょ》い込んで？」と、今度はお恵が独り言のように問いかける。

「てめえのやったことは、ずうっとついて回るからなぁ。逃げられやしねえんだ」

ごめんよ、佐吉。平四郎は不精ったらしく、横になったまま謝った。

「これじゃおめえの気は済むまいな」

佐吉は真っ直ぐに平四郎を見た。「いいえ。そんなことはありませんよ、旦那。俺は、俺は――」

言葉に詰まり、夫婦はまた目と目を見合わせる。佐吉もお恵の隣に並んで膝を揃え、二人で深く頭を下げた。

「ありがとうございました」

よせやいと、平四郎は笑った。依然、ごろりと転がったままである。

「実はな、俺はちょっと後悔してたんだ」

「後悔ですか？」

「うん。弓之助があの幻術一座に、葵の幻を演じさせようとしてるってわかったときにさ、おまえも呼んでやればよかったって。おまえにも、葵の幻を見せてやりたかったって」

生きて、動いて、しゃべっている葵の幻だ。一座にそう頼んで、あの幻に、佐吉への詫び言のひとつも呟いてもらったってよかった。

「だけどさ、それを言ったら弓之助に叱られたんだ。佐吉さんには、佐吉さんにだけは、あんな幻は見せちゃいけなかったんだって」

――叔父上。幻は幻です。いくらそっくりでも、あれは本物の葵さんではありません。ずっと騙《かた》られてきた佐吉さんを、最後の最後まで、幻で騙ってはいけないので

す。

——佐吉さんが葵さんを許すも許さないも、佐吉さんの心ひとつです。この期に及んでなお、幻の葵さんで、佐吉さんをたぶらかしてはいけません。

平四郎はいたく恥じ入り、反省したのであった。

お恵がうつむいて、袖の先を目にあてた。平四郎は笑いかけた。

「ちょっと顔つきが尖ったな」

お恵はぱっと目を上げた。

「だけど、顔つきだけじゃわからねえ。腹が尖ると男の子で、丸く出っ張ると女の子だってよく言うが、ま、どっちでもいいやな、元気な子なら。大事にしてくれよ」

若夫婦は赤くなった。「どうしておわかりになったんです？」と、佐吉が問う。「俺だって、昨日聞いたばっかりなんですよ」

「めでたいことは、わかるんだ」

佐吉のところに赤ん坊ができたよ、と教えてやったら、細君は大喜びで、むつきを縫い始めるだろう。平四郎夫婦は子に恵まれなかったが、だからなおさらいっそうのこと、細君は子供好きなのである。

「宗一郎さんはいかがなすってますか」

「あいつは元気だよ。商売に励みながら、おふくろさんのそばで暮らしてら」

「本当に湊屋を出ていかれるおつもりでしょうか」

「どうかな。また迷ってる。宗次郎の具合はあいかわらずだそうだから、動くに動けないだろうし」

葵の幻を見せられた後、宗一郎は何日も様子がおかしかった。平四郎は、晴香よりも彼の方を心配したほどだ。

が、つい一昨日だ。宗一郎の方から平四郎を訪ねてきた。旨そうな菓子がどっさり詰まった折を手土産に、またぞろ丁重に挨拶するもんだから、平四郎はしんどかった。

めったにないものを見せていただきましたと、彼は言った。

「おかげさまで湊屋の霧も晴れました。父も喜んでおります。でも旦那、あのお春という人のことが、手前には、なにやら他人事に思えないような気もいたしました」

親子だって難しいものですと呟いた。平四郎は黙っていた。その言葉に含まれている意味合いがあまりに入り組んでいて、易しいことは言えないと感じたからだ。

「そンで、宗一郎が帰るときにさ」

平四郎はやっぱりごろ寝して見送っていたのだが。

「あんまりびっくりしたんで、飛び起きそうになっちまったよ」

「どうしたんです？」佐吉が眉を寄せる。

「ずうっと見送っていたらさ、あいつの歩き方が、湊屋総右衛門にそっくりだって気がついたんだ」

お〜いお〜いと、戸口でのどかな声がする。

「旦那ぁ、そろそろお帰りの時刻ですよ。お話の方はお済みですか」

あら、とお恵が立ち上がる。平四郎は身をよじって返事をしかけ、痛タタと顔をしかめた。佐吉が手を伸ばす。

「大丈夫ですか、旦那。こんなときにわざわざ無理をしなくたって、俺たちを呼びつけてくだされればよかったのに」

「なぁに」

平四郎は痛みをこらえて笑う。一晩のうちに激しく駕籠に揺られ過ぎて、あれから後、やっぱりぎっくり腰が出たのである。だからごろごろしているのだ。

「俺はいっぺん、釣り台ってやつに乗ってみたかったのさ」

大島のこの家まで、病人を乗せる釣り台に乗っかって、政五郎の手下たちに担いでもらってやって来たのだ。

「わがままにもほどがあります」

ついてきた小平次は、まだ怒っている。

「この限りでございますよ、旦那。次はございませんからね」

怒りながら、弓之助さんにも頼まれたからと、入念に官九郎《かんくろう》の墓に手を合わせていた。

釣り台に乗った平四郎を、佐吉とお恵は途中まで送ってくれた。あぜ道を歩くお恵がつまずかないよう、転ばないように、佐吉が気をつけている様子が微笑ましい。

それにしてもいい気分だ。釣り台に乗るのは癖になる。寝っ転がって、青空を仰いで、どこへでもぶらぶらと運んでいってもらえるのだから。

みんな、毎日をこんなふうに暮らせたらいいのになぁ。

でも、そうはいかねえんだよなぁ。

一日、一日、積み上げるように。

てめえで進んでいかないと。おまんまをいただいてさ。

みんなそうやって日暮らしだ。

積み上げてゆくだけなんだから、それはとても易しいことのはずなのに、ときどき、間違いが起こるのは何故だろう。

自分で積んだものを、自分で崩したくなるのは何故だろう。

崩したものを、元通りにしたくて悪あがきするのは何故だろう。

「はっくしょ〜い！」

担ぎ手が大きなくしゃみをして、釣り台が揺れた。ぎっくりと来て、平四郎は叫ん

だ。

「おい、勘弁してくれよ！」

ぎっくり腰が癒えるまで、今度は半月近くかかった。

それでも、おとよの婚礼には間に合った。

十一月の大安吉日。おとよはめでたく嫁入りをする。白い綿帽子から、ふっくらした頬がのぞいている。花婿はおとよのあのきれいな手を取るとき、感極まって涙した。

披露の宴にも、平四郎は招かれた。横に伴う細君は、河合屋の姉から借り受けた留《と》袖《め》で着飾っている。

おとよの家では、婚礼は年が明けてからでもいいのではないかと言ったそうだが、紅屋の若旦那は急いでいた。もう一時も、おとよと離れていたくないのだそうだ。

座敷を三つぶち抜いて、居並ぶ客は、さあ五十人はいるだろうか。これでも控え目にしたというのだから恐れ入る。

料理はお徳の店からの仕出しだ。おとよが頼んだのである。お徳がまたしても、そんなたいそうなご宴席のお料理、あたしにはとても無理だとしり込みしたのを、彦一

が胸を叩いて請け合った。

「だってどうするのさ？　五十人前の宴席料理なんて、あたしらだけじゃとても手が足りないよ！」

「石和屋から若いのに来てもらいます」

思い決めたような顔つきで、彦一はそう言ったのだ。石和屋の若い料理人に、ひととき、お徳の店を助けて共に働いてもらうことで、自分の迷いを秤《はかり》に載せ、どっちに振れるか見定めようとしているかのように。

「それとあの、旦那」

「何だよ。俺は料理なんか作れねえぞ」

「お六さんに手伝ってもらってもいいでしょうか」

芋洗坂の屋敷に炊き出しを担いで来て、彦一はお六と知り合った。幻の葵をつくりだすため、生前の葵を知っているお六を呼んでくれと言ったのは弓之助で、だから平四郎が企んだわけではない。が、彦一はお六のぴんしゃんした働きぶりに感心し、どうやら女っぷりにもちょっと心を動かされているようである。もしもこれがうまくまとまれば、井筒平四郎の長い町方役人人生で、初めて実った策略ということになる。

「俺に訊くな。本人に聞け、バカ野郎」

さてこの料理、出来上がってみれば、首尾は上々である。細君は、膳を埋める華や

かな皿の数々に目を瞠《みは》っている。

「あなた、これがあなたのよく油を売ってる煮売屋のお徳さんのお料理なんですか?」

油を売ってるは余計である。

固めの杯はもう済んだ。あとは祝いに浮かれるばかりである。酒も回って座がほぐれる。と、驚いたことに、下座の方から平四郎のよく知る声が聞こえてきた。

「本日はまことにおめでとうございます」

紋付袴《もんつきはかま》で平伏しているのは、政五郎だ。

「手前は本所元町の蕎麦屋の主人、政五郎と申します。花嫁のおとよ様には、ひとかたならぬご贔屓《ひいき》をいただきまして、本日、お祝いに駆けつけましてございます」

堂々とした口上だ。岡っ引きとしての押し出しもいい男だが、こうしていると、まるで大商人のような風格がある。

「おめでたいご夫婦の船出に、手前どもの若い者が、ぜひとも御座興《おざきょう》のひとつもお目にかけたいと、ご両家のお許しをいただきまして、ここに控えております。暫時《ざんじ》、お目の慶《よろこ》びになりますれば幸甚《こうじん》に」

座から拍手が起こった。下座の唐紙が音もなく開く。まだ向こう側に座敷があったのだ。

「とざい、と〜ざい」

花を盛りつけ錦で飾ったひな壇に、白塗りの顔で裃《かみしも》をつけた弓之助が鎮座している。

平四郎は口を開いた。細君が「あらまあ」と声を上げる。

「とよ姉さまのお嫁入り、今日《こんち》めでたい、めでたい、おめでたい」

「あいあい〜」

誰かと思えばひな壇の末に、同じように白塗り顔のおでこがちんまり座って合いの手を入れる。何と三味線《しゃみせん》まで抱えている。

「あらまあ」と、細君がまた驚く。「あのおでこ。白粉《おしろい》の塗り甲斐がありそうですわ」

「嫁入り先は紅屋だ。売るほどあらぁな」

平四郎はやっとそれだけ言った。

「二重三重、七重《ななえ》にめでたいお祝いに、ご両家の繁栄のひと重をかけて、八重の滝をお目にかけまする〜」

弓之助がさっと右手を上げる。その白い指先から、八色の紙吹雪がさあっとほとばしる。

宴席がどよめいた。もっとよく見ようと、おとよが綿帽子《わたぼうし》を持ち上げる。花婿が手

を添えてそれを手伝う。

「弓之助さん、まあ、きれい」

「とよ姉さまもおきれいでございますよ！」

今度は左の指を振る。と、金糸銀糸が弧《こ》を描く。ちゃかちゃかと三味線を爪弾きながら、おでこが「はいはい〜金色《こんじき》の縁《えにし》の糸よ〜」と明るく歌う。

呆然と見蕩《みと》れつつ、しかし平四郎はこの芸に、どことなく見覚えがあると思っている。この鮮やかな手際——この三味線の音色。俺は知ってる。知ってるぞ。

くるりくるりと手を返し、掌をかざし、歌い踊る弓之助。そのたびに、指先から舞い出る紙吹雪、花吹雪。座は沸きに沸く。笑い声と歓声と拍手。

「そうれ、それそれ」

大きく両手を振りあげて、左右の指先から再び金糸銀糸を振り出すと、弓之助はくるりと優雅に回った。おでこも三味線の柄をくるりと回す。

と、ぼうんと白い煙が立って、二人の姿はかき消えた。ひな壇と花飾りの真ん中には、白装束に濡れたような黒髪、紅の色も鮮やかなくちびるをほころばせて、天女さながらの美女が現れた。

「さてもおめでたい婚礼に、花の子を召《め》し出し、月の子を召し出し、舞えや歌えやのこの一席。皆様、お気に召しましてございましょうか」

艶やかな声でそう呼ばわる。ただ述べているだけなのに、謡《うたい》に聞こえるのは天上の美声の所為《せい》か。

「花の子よ月の子よ、では我が懐に立ち戻り、さあ皆様のご多幸を祈念しつつ、共に天上へ帰るといたしましょうぞ」

女が白く長い袖をふわりとふくらませると、消えた弓之助が右に、おでこが左に、たちまち姿を現した。その刹那《せつな》、天女の瞳が平四郎をとらえ、艶然と輝いた。

この女は——

三人揃って深々とお辞儀をすると、どこからともなく溢れて湧き出てきた真っ白の紙吹雪に包まれる。三人はお辞儀の姿勢のまま、ふわりふわりと昇天してゆく。そしてするすると唐紙が閉じる。

やんややんややんやの喝采である。花婿と花嫁も立ち上がり、抱き合うようにして手を打っている。

「あ、わかった！」

平四郎は躍り上がった。

「ありゃ、死んだはずの三代目白蓮斎《びゃくれんさい》貞洲《ていしゅう》だ！」

そして——葵の幻だ。さっきにっこり笑って平四郎の目を見た、あの女の顔は、間違いようもない、あの夜の葵。

そうか、湊屋懇意のあの幻術一座は、その芸のあまりの凄さをお上に睨まれ、江戸を追われたかの一座の、世を忍ぶ姿であったのだ。

もう一度、今一度、この目で見たいと念願のあの芸を、平四郎は見ていたのだった。

「弓之助、いつの間に貞洲に弟子入りしやがった！」

くつくつくつと、楽しげな含み笑いと女の囁きが耳元で。

——旦那、内緒でございますよ。

これも幻術か。それとも空耳か。

「あなたったら、たいがいになさいまし」

細君につねられていることさえ感じぬ井筒平四郎なのである。

解説

末國善己

宮部みゆきは、どれだけ陰惨な事件を描こうと、人間なら誰もが持っている心の闇を暴こうと、ラストには希望を描くことで、心温まる物語を作ってきた。このような思い込みを覆してくれたのが、時代ミステリーの傑作『ぼんくら』だった。

深川という宮部みゆきのホームグラウンドを舞台にした『ぼんくら』には、『初ものがたり』でお馴染みの回向院の茂七がゲスト出演、中盤までは長屋を舞台にした人情捕物帳として進むが、ラストに真相が明かされると、犯罪に手を染めたのに平然としている〝犯人〟や、その〝犯人〟を確信犯的に匿《かくま》う人物が登場、ほろ苦さを残したまま幕を閉じた。

その後、宮部みゆきは、良心を持たないかのように冷徹に犯罪計画を進める「ピース」を主人公にした現代ミステリー『模倣犯』、庶民を平然と切り捨てる政治の非情に迫った時代小説『孤宿の人』などを発表、人情路線とは異なるラインの作品も増え

てきたので、『ぼんくら』が宮部みゆきの一つの転換点になったことは間違いないだろう。

ところが『ぼんくら』の後日譚となる本書『日暮らし』では、前作で心に傷を負った人たちをいかにして〝癒《いや》す〟かがテーマになっているので、再び人情色が強くなっている。だが本書で描かれる人情は、「罪を憎んで人を憎まず」の精神で、やむにやまれぬ事情で犯罪に手を染めた人間を見逃したり、貧しき人々が肩を寄せ合って生きる状況を美徳とするような〝甘さ〟はない。人情は人を自立、成長させる手助けをするもので、決して甘やかすことでも、現実逃避の口実を与えるものでもない。こうしたリアルで厳しい人情を描いた本書は、人情捕物帳に革新をもたらしたといっても過言ではあるまい。それだけに本書は、宮部作品にとって人情とは何かを考えるうえでも、重要な作品となっているのである。

本書は『ぼんくら』の続編というよりも、完結編といった位置付けなので、前作との繋がりが深い。ここでは初めてシリーズに接する方のために、前作を簡単に振り返っておくが、やはり本書をより深く理解するためには、前作を読んでおくことをお勧めしたい。

深川にある鉄瓶長屋は、豪商・湊屋総右衛門が持ち主で、湊屋が営む料亭・勝元の番頭だった久兵衛が差配人（大家）として働いていた。ある日、長屋で殺人事件が発

生。犯人が自分に恨みを抱く勝元の元奉公人と主張する久兵衛は、身の危険を感じて失踪。新たに総右衛門の姪・葵の息子・佐吉が差配人として送りこまれてくる。だが鉄瓶長屋では不可解な事件が続発、まだ年若い佐吉への不満もあって、住民は次々と長屋を離れていく。こうした状況に不審を抱いた南町奉行所の同心・井筒平四郎は、甥で測量マニアの美少年・弓之助、一度聞いたことは絶対に忘れない人間レコーダーおでここと三太郎、本所元町の岡っ引きの政五郎らの協力を得て謎を追ううち、湊屋が隠す過去の秘密を知ることになる。

冒頭に短篇小説が数篇ならび、その後に長篇が置かれる構成は前作を踏襲している。これは半村良の名作『どぶどろ』へのオマージュである。ただ『ぼんくら』では、一見すると無関係に思えた冒頭の短篇が、次第に一つに繋がっていくダイナミズムがあったのに対し、本書は一話完結の短篇の中に長篇部分の伏線が張り巡らされており、後半になるとパズルのピースが嵌《は》まるべきところに嵌まって意外な絵を浮かび上がらせる驚きがある。同じようなスタイルに見えて、実は一作ごとに趣向を変えているところは実に鮮やかである。

そのほかにも、おでこが回向院の茂七を始めとする古老の話を聞き、それらを暗記しているという設定は、若き新聞記者が幕末を生きた岡っ引きから往年の手柄話を聞くという体裁で物語を進めている岡本綺堂『半七捕物帳』を思わせるし、「手練れ」

に「ヴェテラン」とルビを振ったのは、「巣乱」に「スラム」、「例声留」に「レコード」などとルビを振ってみせた都筑道夫『なめくじ長屋捕物さわぎ』シリーズを彷彿とさせるなど、作中には過去の名作捕物帳のエッセンスが取り込まれているので、著者の捕物帳というジャンルへの愛情がよく分かるのではないだろうか。

『日暮らし』は、鉄瓶長屋の事件が一応の決着をみせてから一年後、事件の記憶も薄まるなか、先の事件に関わった人々の周囲で再び奇妙な事件が起こるところから始まる。

第一話の「おまんま」は、気鬱で寝込んでしまった三太郎が、扇子に似顔絵を描く人気絵師が殺された事件を捜査する平四郎を助ける物語。三太郎は、自分がおまんまを食わせてもらうだけの働きをしているかに悩み、伏せってしまう。働くことの意味を問い掛ける「おまんま」のテーマは、本書全体にも深く関わっているので、まさに巻頭に相応《ふさわ》しい作品といえるだろう。続く「嫌いの虫」は、鉄瓶長屋の差配人を辞めた後に植木職人に復帰した佐吉と、総右衛門の妾腹の娘を育てていた王子の水茶屋の娘お恵夫婦の物語。まだ新婚の佐吉とお恵だが、佐吉の不可解な行動が夫婦の間に波乱を巻き起こすことになる。

「子盗り鬼」では、前作のキーパーソンながら名前だけの存在だった葵が初めて姿を見せる。葵は総右衛門の姪で、佐吉の母。葵母子は成功した総右衛門の家で育った

が、総右衛門が葵と佐吉ばかりをかわいがるので、正室のおふじとの間に確執があったという。その渦中に失踪したため、葵は何者かに殺されたとも、佐吉を捨てて男と出奔したとも噂されていたのだ。前作では摑みどころのなかった葵だが、「子盗り鬼」ではストーカーにつきまとわれ命の危険にさらされていたお六母子を救う人情家の側面を見せている。大仕掛けを用意してストーカーを罠に落とす展開は、宮部版〝必殺〟といった趣がある。

「なけなし三昧」は、鉄瓶長屋のまとめ役だったお徳が主人公。幸兵衛長屋に越して、再び煮売屋を開いたお徳。だが同じ長屋で婀娜《あだ》な美女おくめが総菜屋を開店。豪華なおかずを破格の値段で売るおくめの店に押され、お徳の店には閑古鳥が鳴いていた。おくめの放漫経営を不審に思った平四郎が調査を始めると、異常な商売の裏事情が明らかになる。

そしてメインとなる長篇『日暮らし』では、芋洗坂近くにある総右衛門の別宅で暮らしていた葵が殺され、下手人として佐吉が捕まってしまう。佐吉の無実を信じる平四郎は、弓之助、三太郎らと捜査を開始。再び湊屋の〝闇〟と向きあうことになるのである。

前作では測量マニアとされていた弓之助だが、本書では師匠から「これからは、計れぬところをよく見て考えるように」とアドバイスされたこともあって、実際に何か

を計測する場面は少ない。この一文は、複雑ながら目に見える人間関係を浮かび上がらせた前作に対し、見ることのできない心の問題に迫った本書のテーマを象徴している。

平四郎は、散り散りになった元鉄瓶長屋の住人はもとより、湊屋総右衛門と腹心の伊兵衛、総右衛門の息子・宗一郎らを訪ね、事情を聞く。だが一方的に質問するのではなく、前作では事件の全容を知らされなかったため、それがモヤモヤになっている人に〝真実〟を話していく。これは心の傷を共有することで、未来に向けて一歩を踏み出すことをうながす集団カウンセリングに近い手法といえるだろう。さらに平四郎たちは、葵殺しで新たに心に傷を負った人たちを、（加害者も含めて）救う方法を模索するのである。前作が何気ない日常の裏側に潜む〝闇〟を徹底して掘り起こしただけに、〝闇〟から脱出するための手助けをする本書は、読後感も心地よい。

だが宮部みゆきは、悩める者、心に傷を負った者すべてが救われるとはしていない。例えば、お徳のライバルとして登場するおくめは、女を武器に世を渡っている。人情派のお徳は、おくめは悪い男に騙されているだけと考え、何とか行方を探して立ち直らせようとするが、おくめの〝闇〟の深さを知る平四郎は、お徳におくめと関わることを禁じる。また、勤め先の有名料亭が焼けたため、お徳の店を手伝うことになる彦一は、自分の出世が早かったため、嫉妬のあまり捻《ひね》くれた先輩に今の地位を譲ろ

うと考えていた。それを聞いた平四郎は、「職人なら、腕の良し悪しに差がつく」のは当り前であり、その悔しさを踏まえて修業に励んだり、進路変更を考えたりせず、ただ転落していく先輩など救う必要がないと断じる。ここにあるのは他人を甘やかしたり、傷を舐《な》めあったりするのは真の人情ではなく、自分が良い子になりたいだけの逃避にすぎない、という厳しい認識なのである。

作中に、人情でも癒せない〝悪〟があるとしたのは、緊急車両が入ってこられない可能性があるのに道端に自転車を止めたり、周囲に迷惑がかかり危険でもあるのに、遊泳禁止の場所で泳いだり、河川敷でゴルフをするような、小さなしかし確信犯的な悪意が広がっている現状を踏まえたものだろう。平四郎が直面する苦悩は、〝悪〟であるという自覚もなく、あるいは〝悪〟を行っても恥じない人間が増えている現代社会で、一人一人が〝悪〟とどのように向きあうべきかを問い掛けているのである。

もう一つ忘れてならないのは、事件の背景に、食うに困らない豪商と懸命に働かなければ生きていけない庶民の間に横たわる格差問題を置いていることである。これもバブル崩壊以降の世相を念頭に置いた設定と思われる。従来の人情時代小説であれば、金持ちは悪人で、庶民は善人とされるところだが、宮部みゆきは必ずしも金持ちを〝悪〟とはしていない。卓越した商才を持つ父のようになれないことを自覚しつつも、従業員を守るため必死で修業をしている湊屋総右衛門の息子・宗一郎を認め、た

だ堕落していくだけの彦一の先輩やおくめを批判的に描いていることからも分かるように、金持ちの中にも善人はおり、貧しき人々の中にも悪人がいるとすることで、地に足を着けて生きることが何より大切であることを示しているのだ。

平四郎は、「一日、一日、積み上げるように。／みんなそうやって日暮らしだ。／積み上げてゆくだけなんだから、それはとても易しいことのはずなのに、ときどき、間違いが起こるのは何故だろう」と述懐する。恐らく何気ない日常の中に〝悪〟が入り込むのは、平穏な生活＝幸福という図式が理解できず、背伸びをしたり、ファンタジーを求めたりするからだろう。だが「絵草紙や黄表紙」のような劇的な恋をしたいと言っていた弓之助の従姉おとよが、本当に小説のような事件に巻き込まれたことで自分の愚かさを悟ったように、本当の幸福はファンタジーの中には存在しないのだ。『日暮らし』というタイトルは、人間の幸福は、退屈で凡庸な日々の生活にあるというメッセージそのものなのである。

この作品は、二〇〇四年十二月に上下巻として刊行された単行本を、文庫化に際して上中下巻に分冊した下巻です。

|著者|宮部みゆき　1960年東京都生まれ。'87年『我らが隣人の犯罪』でオール讀物推理小説新人賞を受賞。'89年『魔術はささやく』で日本推理サスペンス大賞。'92年『龍は眠る』で日本推理作家協会賞、『本所深川ふしぎ草紙』で吉川英治文学新人賞、'93年『火車』で山本周五郎賞、'99年『理由』で直木賞、2007年『名もなき毒』で吉川英治文学賞を受賞する。

日暮《ひぐ》らし(下)
宮部《みやべ》みゆき

講談社文庫
定価はカバーに
表示してあります

2008年11月14日第1刷発行

発行者――野間佐和子
発行所――株式会社　講談社
東京都文京区音羽2-12-21　〒112-8001
電話　出版部　(03)　5395-3510
　　　販売部　(03)　5395-5817
　　　業務部　(03)　5395-3615

デザイン―菊地信義
本文データ制作―講談社プリプレス管理部
印刷―――中央精版印刷株式会社
製本―――中央精版印刷株式会社

Printed in Japan

落丁本・乱丁本は購入書店名を明記のうえ、小社業務部あてにお送りください。送料は小社負担にてお取替えします。なお、この本の内容についてのお問い合わせは文庫出版部あてにお願いいたします。

ISBN978-4-06-276205-2

講談社文庫刊行の辞

二十一世紀の到来を目睫に望みながら、われわれはいま、人類史上かつて例を見ない巨大な転換期をむかえようとしている。

世界も、日本も、激動の予兆に対する期待とおののきを内に蔵して、未知の時代に歩み入ろうとしている。このときにあたり、創業の人野間清治の「ナショナル・エデュケイター」への志を現代に甦らせようと意図して、われわれはここに古今の文芸作品はいうまでもなく、ひろく人文・社会・自然の諸科学から東西の名著を網羅する、新しい綜合文庫の発刊を決意した。

激動の転換期はまた断絶の時代である。われわれは戦後二十五年間の出版文化のありかたへの深い反省をこめて、この断絶の時代にあえて人間的な持続を求めようとする。いたずらに浮薄な商業主義のあだ花を追い求めることなく、長期にわたって良書に生命をあたえようとつとめるところにしか、今後の出版文化の真の繁栄はあり得ないと信じるからである。

同時にわれわれはこの綜合文庫の刊行を通じて、人文・社会・自然の諸科学が、結局人間の学にほかならないことを立証しようと願っている。かつて知識とは、「汝自身を知る」ことにつきていた。現代社会の瑣末な情報の氾濫のなかから、力強い知識の源泉を掘り起し、技術文明のただなかに、生きた人間の姿を復活させること。それこそわれわれの切なる希求である。

われわれは権威に盲従せず、俗流に媚びることなく、渾然一体となって日本の「草の根」をかたちづくる若く新しい世代の人々に、心をこめてこの新しい綜合文庫をおくり届けたい。それは知識の泉であるとともに感受性のふるさとであり、もっとも有機的に組織され、社会に開かれた万人のための大学をめざしている。大方の支援と協力を衷心より切望してやまない。

一九七一年七月

野間省一

講談社文庫 最新刊

宮部みゆき　日暮らし（上）（中）（下）
ぼんくら同心・平四郎と超美形少年・弓之助が挑む謎。町人達の日暮らしに潜む影とは。

辻村深月　凍りのくじら
「少し《S》・不在《F》」と自らを称する理帆子。一人の青年との出会いが彼女を変えていく――。

江上　剛　小説金融庁
金融庁と銀行、これがすべての真実。敏腕検査官・松嶋哲夫が巨大銀行の闇に切り込む。

折原　一　叔父殺人事件〈グッドバイ〉
叔父が死んだ。集団自殺の車中になぜかいた。謎を追う甥に迫る影。あざやかな折原マジック。

中島らも　僕にはわからない
「人生、不可解なり」――著者は考え尽くす。混迷時代に解答を与える奇妙な味のエッセイ集。

椹野道流　無明の闇〈鬼籍通覧〉
轢き逃げ犯は再犯だった。かつての事件の目撃者はミチル。メスで復讐を果たす時が来た。

ひこ・田中　新装版 お引越し
両親の別居により父と離れることになった、娘のレンコ。勝手な両親に納得できずにいた。

田中啓文　蓬《ほう》莱《らい》洞《どう》の研究
講談社ノベルス「私立伝奇学園民俗学研究会」シリーズ、遂に文庫化。解説・はやみねかおる

石黒　耀　死都日本
霧島火山帯が破局噴火！　日本はどうなる？　火山学者をも熱狂させたメフィスト賞受賞作。

神崎京介　利口な嫉妬
男女にまつわる話を丹念に仕立てた短編集。ちょっと怖い話、官能的な話――大人の世界。

五木寛之　百寺巡礼　第三巻　京都Ⅰ
永遠の古都でもあり、時代の最先端を行く街、京都。懐かしさを感じる旅へ出かけよう。

講談社文庫 最新刊

佐伯泰英
默《もっ》契《けい》〈交代寄合伊那衆異聞〉
列強との彼我の差を体感した剣豪旗本藤之助。仇敵との決着、長崎でつける！〈文庫書下ろし〉

佐伯泰英
御《お》暇《いとま》〈交代寄合伊那衆異聞〉
江戸に帰還した藤之助の新たなる使命とは!? シリーズ初の2冊同時刊行!!〈文庫書下ろし〉

田中芳樹
タイタニア2〈暴風篇〉
単なる一軍人に敗れたタイタニア。一族の命運はいかに!? アニメとともに甦った名作。

森博嗣
探偵伯爵と僕〈His name is Earl〉
夏休み、親友が連続して行方不明になった。新太に迫る犯人の影。秘密の調査が始まる。

石川英輔
江戸時代はエコ時代
まさに究極のエコ文明。江戸時代の驚くべき知恵を豊富な図版で読み解く文庫オリジナル。

島村英紀
「地震予知」はウソだらけ
'65年に地震予知が開始されて40年以上。莫大な予算が投入されたのに、一度も成果がない！

泉麻人
お天気おじさんへの道
気象予報士コラムニスト誕生！ 試験のコツや天気の知識も身に付く、お役立ちエッセイ。

牧野修
黒娘 アウトサイダー・フィメール
ミステリーか!? それともファンタジーか!? 美少女と美女の行くところ死屍累々の問題作。

陳舜臣
新装版 **新西遊記**(上)(下)
四大奇書のひとつ『西遊記』の奔放な魅力を中国小説の第一人者が解き明かす名テキスト。

栗本薫
第六の大罪〈伊集院大介の飽食〉
暴食——それは悪魔が司る、人間が犯してはならない大罪。シュールな短編のフルコース。

日本推理作家協会 編
隠された鍵〈ミステリー傑作選〉
石田衣良、中島らも、法月綸太郎など9名の作家の、企みと謎に満ちたミステリー短編集。

クリス・ムーニー
高橋佳奈子 訳
贖罪の日
女性科学捜査官ダービーが、連続女性誘拐犯を追いつめる、傑作サスペンス・スリラー！

色川武大
遠景・雀・復活
色川武大短篇集
解説＝村松友視　年譜＝著者
自らの生を決めかね、悲しい結末を迎える若き叔父・御年《みとし》。彼の書き残した手紙で構成した「遠景」をはじめとし、最後の無頼派作家が描く、はぐれ者の生と死、九篇。
いN3
978-4-06-290030-0

村山槐多
槐多の歌へる
村山槐多詩文集　酒井忠康編
解説・年譜＝酒井忠康
大正時代、放浪とデカダンスのうちに肺患により夭折した天才画家は、生得の詩的才能にも恵まれていた。その迸《ほとばし》る〈詩魂〉を詩、短歌、小説、日記を通して辿る詩文集。
むD1
978-4-06-290032-4

グリム兄弟
完訳グリム童話集2
訳・解説＝池田香代子
グリム兄弟は農民や職人など普通の人々を近代ドイツの根拠とし、メルヒェンは彼等を魂の次元で結ぶものだった。第二巻には「幸せなハンス」「命の水」等、六三篇収録。
クA2
978-4-06-290031-7

講談社文庫　目録

三浦光世 三浦綾子　愛に遠くあれど〈夫と妻の対話〉
三浦明博　死《し》水《すい》
宮尾登美子　東福門院和子《まさこ》の涙
宮尾登美子　新装版天璋院篤姫(上)(下)
宮尾登美子　新装版　一絃の琴
皆川博子　冬の旅人(上)(下)
宮崎康平　新装版　まぼろしの邪馬台国　第1部・第2部
宮本　輝　花の降る午後
宮本　輝　オレンジの壺(上)(下)
宮本　輝　朝の歓び(上)(下)
宮本　輝　ひとたびはポプラに臥す1〜6
宮本　輝　新装版二十歳《はたち》の火影《ほかげ》
宮本　輝　新装版命の器
宮本　輝　新装版　避暑地の猫
宮本　輝　新装版　ここに地終わり　海始まる(上)(下)
峰　隆一郎　寝台特急「さくら」死者の罠
宮城谷昌光　侠骨記
宮城谷昌光　夏姫春秋(上)(下)
宮城谷昌光　花の歳月

宮城谷昌光　重耳《ちょうじ》(全三冊)
宮城谷昌光　春秋の色
宮城谷昌光　介《かい》子《し》推《すい》
宮城谷昌光　孟嘗君　全五冊
宮城谷昌光　春秋の名君
宮城谷昌光　子産(上)(下)
宮城谷昌光他　異色中国短篇傑作大全
水木しげる　コミック昭和史1〈関東大震災〜満州事変〉
水木しげる　コミック昭和史2〈満州事変〜日中全面戦争〉
水木しげる　コミック昭和史3〈日中全面戦争〜太平洋戦争開始〉
水木しげる　コミック昭和史4〈太平洋戦争前半〉
水木しげる　コミック昭和史5〈太平洋戦争後半〉
水木しげる　コミック昭和史6〈終戦から朝鮮戦争〉
水木しげる　コミック昭和史7〈講和から復興〉
水木しげる　コミック昭和史8〈高度成長以降〉
水木しげる　総員玉砕せよ！
宮脇俊三　古代史紀行
宮脇俊三　平安鎌倉史紀行
宮脇俊三　室町戦国史紀行

宮脇俊三　徳川家康歴史紀行5000㌔
宮部みゆき　ステップファザー・ステップ
宮部みゆき　震える岩〈霊験お初捕物控〉
宮部みゆき　天狗風〈霊験お初捕物控(二)〉
宮部みゆき　ぼんくら(上)(下)
宮子あずさ　看護婦が見つめた人間が死ぬということ
宮本昌孝　夕立太平記
皆川ゆか　機動戦士ガンダム外伝〈THE BLUE DESTINY〉
皆川ゆか　新機動戦記ガンダムW(ウイング)外伝　〜右手に鎌を左手に君を〜
三浦明博　滅びのモノクローム
三好春樹　なぜ、男は老いに弱いのか？
見延典子　家を建てるなら
道又　力　開封　高橋克彦
三津田信三　忌館〈ホラー作家の棲む家〉
村上　龍　限りなく透明に近いブルー
村上　龍　海の向こうで戦争が始まる
村上　龍　コインロッカー・ベイビーズ(上)(下)
村上　龍　アメリカン★ドリーム
村上　龍　ポップアートのある部屋

講談社文庫　目録

村上　龍　走れ！タカハシ
村上　龍　愛と幻想のファシズム(上)(下)
村上　龍　村上龍全エッセイ〈1976～1981〉
村上　龍　村上龍全エッセイ〈1982～1986〉
村上　龍　村上龍全エッセイ〈1987～1991〉
村上　龍　超電導ナイトクラブ
村上　龍　イ　ビ　サ
村上　龍　長崎オランダ村
村上　龍　フィジーの小人
村上　龍　368Y Par4 第2打
村上　龍　音　楽　の　海　岸
村上　龍　村上龍料理小説集
村上　龍　村上龍映画小説集
村上　龍　ストレンジ・デイズ
村上　龍　共　　生　　虫
村上龍・坂本龍一　EV. Café——超進化論
向田邦子　眠　る　盃
向田邦子　夜中の薔薇
村上春樹　風の歌を聴け

村上春樹　1973年のピンボール
村上春樹　羊をめぐる冒険(上)(下)
村上春樹　カンガルー日和
村上春樹　回転木馬のデッド・ヒート
村上春樹　ノルウェイの森(上)(下)
村上春樹　ダンス・ダンス・ダンス(上)(下)
村上春樹　遠　い　太　鼓
村上春樹　国境の南、太陽の西
村上春樹　やがて哀しき外国語
村上春樹　アンダーグラウンド
村上春樹　スプートニクの恋人
村上春樹　アフターダーク
村上春樹 佐々木マキ絵　羊男のクリスマス
村上春樹 佐々木マキ絵　ふしぎな図書館
村上春樹 糸井重里　夢で会いましょう
村上春樹・文 安西水丸・絵　ふ　わ　ふ　わ
U・K・ル＝グウィン 村上春樹訳　空　飛　び　猫
U・K・ル＝グウィン 村上春樹訳　帰ってきた空飛び猫
U・K・ル＝グウィン 村上春樹訳　素晴らしいアレキサンダーと、空飛び猫たち

U・K・ル＝グウィン 村上春樹訳　空を駆けるジェーン
群　ようこ　濃い人々〈いとしの作中人物たち〉
群　ようこ　いいわけ劇場
群　ようこ　浮　世　道　場
室井佑月　Piss《ピス》
室井佑月　子作り爆裂伝
室井佑月　ママの神様
室井佑月 丸山あかね　プチ美人の悲劇
村山由佳　すべての雲は銀の…(上)(下)
村山由佳　永　　遠。
室井　滋　ふ　ぐ　マ　マ
室井　滋　心ひだひだ
室井　滋　うまうまノート
村野　薫　死刑はこうして執行される
睦月影郎　義姉《あね》〈武芸者　冴木澄香〉
森村誠一　暗　黒　流　砂
森村誠一　殺　人　の　花　客
森村誠一　ホームアウェイ
森村誠一　殺人のスポットライト

講談社文庫　目録

森　博嗣　四季　春～冬
森　博嗣　森　博嗣のミステリィ工作室
森　博嗣　アイソパラメトリック
森　博嗣　悠悠おもちゃライフ
森　博嗣／ささきすばる絵　悪戯王子と猫の物語
森　博嗣／土屋賢二　人間は考えるFになる
森枝卓士　私的メコン物語〈食から覗くアジア〉
森　浩美　推定恋愛
森　浩美　推定恋愛 two-years
諸田玲子　鬼あざみ
諸田玲子　笠《かさ》雲《ぐも》
諸田玲子　からくり乱れ蝶
諸田玲子　其《そ》の一《いち》日《にち》
諸田玲子　天女湯おれん
諸田玲子　末世炎上
森津純子　家族が「がん」になったら〈誰も教えてくれなかった介護法と心のケア〉
桃谷方子　百合祭
森　孝一　「ジョージ・ブッシュ」のアタマの中身〈アメリカ「超保守派」の世界観〉
本谷有希子　腑抜けども、悲しみの愛を見せろ
本谷有希子　江利子と絶対〈本谷有希子文学大全集〉
森下くるみ　すべては「裸になる」から始まって
山口　瞳／常盤新平 編　新装版諸君！この人生、大変なんだ
山田風太郎　婆沙羅
山田風太郎　甲賀忍法帖〈山田風太郎忍法帖①〉
山田風太郎　忍法忠臣蔵〈山田風太郎忍法帖②〉
山田風太郎　伊賀忍法帖〈山田風太郎忍法帖③〉
山田風太郎　忍法八犬伝〈山田風太郎忍法帖④〉
山田風太郎　くノ一忍法帖〈山田風太郎忍法帖⑤〉
山田風太郎　魔界転生(上)(下)〈山田風太郎忍法帖⑥⑦〉
山田風太郎　江戸忍法帖〈山田風太郎忍法帖⑧〉
山田風太郎　柳生忍法帖(上)(下)〈山田風太郎忍法帖⑨⑩〉
山田風太郎　風来忍法帖〈山田風太郎忍法帖⑪〉
山田風太郎　かげろう忍法帖〈山田風太郎忍法帖⑫〉
山田風太郎　野ざらし忍法帖〈山田風太郎忍法帖⑬〉
山田風太郎　忍法関ヶ原〈山田風太郎忍法帖⑭〉
山田風太郎　妖説太閤記(上)(下)
山田風太郎　新装版戦中派不戦日記
山田風太郎　奇想小説集
山村美紗　三十三間堂の矢殺人事件
山村美紗　ヘアデザイナー殺人事件
山村美紗　京都新婚旅行殺人事件
山村美紗　大阪国際空港殺人事件
山村美紗　小京都連続殺人事件
山村美紗　グルメ列車殺人事件
山村美紗　天の橋立殺人事件
山村美紗　愛の立待岬
山村美紗　花嫁は容疑者
山村美紗　十二秒の誤算
山村美紗　京都・沖縄殺人事件
山村美紗　京都三船祭り殺人事件
山村美紗　京都絵馬堂殺人事件〈名探偵キャサリン傑作集〉
山村美紗　京都不倫旅行殺人事件
山村美紗　京都・十二単衣《じゅうにひとえ》殺人事件
山村美紗　京友禅の秘密
山村美紗　燃えた花嫁
山村美紗　千利休・謎の殺人事件
山田正紀　長靴をはいた犬〈神性探偵・佐伯神一郎〉

2008年9月15日現在